# МАРИНИНА
## АЛЕКСАНДРА

## Читайте все романы Александры МАРИНИНОЙ:

Адрес официального сайта Александры Марининой
в Интернете http://www.marinina.ru

# АЛЕКСАНДРА МАРИНИНА

# ИМЯ ПОТЕРПЕВШЕГО — НИКТО

Москва 2005

УДК 882
ББК 84(2Рос-Рус)6
М 26

Серийное оформление
художника *Андрея Рыбакова*

**Маринина А. Б.**
М 26    Имя потерпевшего — никто: Повесть. — М.:
Изд-во Эксмо, 2005. — 256 с.

ISBN 5-699-12742-9

В Питере убили старую женщину, в Москве нашли ее бывшую невестку с мужем в луже крови. Дело вроде бы несложное: арестован подозреваемый, и он дает весьма сбивчивые показания. Ничего не стоит дожать его. Но опыт и интуиция не позволяют следователю Татьяне Образцовой и оперативнику Анастасии Каменской остановиться на простом решении. Им явно подсовывают ложный след. Но даже когда они вычисляют настоящего преступника, становится не легче. Теперь надо решать, что важнее: буква закона или жизнь человека...

УДК 882
ББК 84(2Рос-Рус)6

ISBN 5-699-12742-9

## ИГРА ЧУЖИМИ МАСКАМИ

Сегодня самый популярный автор детективов в России — женщина. Александра Маринина неоспоримо занимает первое место на рынке бестселлеров. Недалеко от нее стоит Полина Дашкова, а потом ряд других авторов-женщин. Некоторые критики уже поспешили охарактеризовать романы Марининой терминами «женский детектив» и «черный женский роман». Насколько эти определения правильны и какую роль играют гендерные признаки в поэтике романов Марининой — вот что нас интересует в данной статье.

В романах Марининой всегда присутствует первый параметр «женской прозы», а именно то, что в центре повествования — женщина и доминирует точка зрения героини — Анастасии Каменской (в дальнейшем — Насти) — женщины-детектива, своего рода авторского двойника. Редкое исключение, например, роман «Черный список», где Насти нет и на протяжении всего повествования рассказ ведется от лица мужчины, но именно это-то и позволяет появиться другому женскому персонажу — следователю Татьяне Образцовой, пишущей детективы под псевдонимом Томилина, т.е. второму авторскому двойнику.

*На первом плане стоит Настя, родившаяся в 1960 г. Она жена выдающегося математика Леши Чистякова, майор милиции, работающая аналитиком-криминалистом на Петровке, 38. По многим признакам Настя не является воплощением традиционных женских стереотипов, и эта ее нестандартность особенно часто подчеркивается автором. Она не очень эмоциональна, нечувствительна, ни любовь, ни секс особенно ее не интересуют. Настя совершенно беспомощна в быту, абсолютно равнодушна к таким, казалось бы, женским темам, как любовь, одежда, диеты и прочее, так интересующие, например, в высшей степени женственную Дашу. Уж Настя-то не будет читать дамских романов! Она рациональна, «трудоголичка», причем ее работа традиционно считается мужской, сугубо аналитической, даже если в конце концов при окончании решения криминальной загадки Насте помогает пресловутая женская интуиция.*

*В романах Марининой есть реабилитация интеллектуальной работы. То, что это происходит в рамках жанра детектива, неудивительно, ведь детектив типа «романа с загадкой», в отличие от «черного романа», как раз постоянно заигрывает с наукой. И, видимо, не случайно, что Настю окружает среда ученых (муж — математик, мать — профессор, лингвист). Ведь задача сыщика есть в каком-то смысле научно-герменевтическая игра интеллекта в попытке упорядочить хаос, расшифровать криминальный ребус, сыщик — тот же «семиолог». Но зато не в традиции русского/советского детектива, что эта реабилитация происходит через женский персонаж.*

*Из-за своей физической ущербности (определяемой как женская черта) и эмоциональной холодности (определяемой как мужская черта) Настя принадлежит к типу сыщиков, отличающихся каким-то «дефектом» — физическим или чувственным. Вспомним инвалида Ниро Вульфа у Рекса Стаута и мисс Марпл, старушку и из-за этого слабую женщину. Или героя фильма Хичкока «Real Window», прикованного к инвалидной коляске, что играет важную роль в сюжете, поскольку эта его физическая немощность создает особое напряжение. Все это еще раз показывает, что самое главное в сыщике — игра ума. Сыщик такого типа не имеет семейной жизни, целиком и полностью отдается процессу поиска и разоблачения преступника. Почти все сыщики холостяки. Настя, правда, замужем, но у нее нет детей, и ее семейная жизнь сведена к минимуму: Леша часто в отъезде или у родителей.*

*Образ Насти, по всей видимости, слишком нестандартен, автор боится некоторой ее черствости, кстати, и Настя все время спрашивает себя, не монстр ли она, потому что не испытывает сильных чувств к другим. Эти сомнения не столько психологическая черта персонажа, сколько своего рода извинение автора перед читателем за то, что ее героиня такая странная, далекая от традиционных русских представлений о женщине.*

*Чтобы компенсировать и как бы скорректировать эмоциональную «сухость» главной герои-*

ни, автор вводит в повествование более традиционных женщин. Татьяна Образцова сочетает в себе мужское и женское начала более гармонично и органично, чем Настя: хоть она рациональна, как Настя, но при этом — чувственная, сладкая и уютная женщина. Эта гармония ощущается Стасовым, героем «Черного списка»: «Странное чувство не покидало меня. Много раз в своей двадцатилетней служебной жизни я сталкивался с женщинами-следователями, с некоторыми из них спал, с остальными сотрудничал. Но если они становились моими любовницами, я в их присутствии не произносил ни слова о работе. Если же обсуждал что-то служебное, они мгновенно превращались в бесполых существ. Сейчас же я говорил на сугубо профессиональные темы с женщиной-следователем, отдавая дань ее хватке и юридической грамотности и в то же время необыкновенно остро чувствуя, что она — Женщина. Именно так, с большой буквы».

В ее полном теле таится материнское тепло, что в романе «Призрак музыки» подтверждается рождением ребенка. Все это позволяет еще лучше сработать идентификационному механизму и женской читательской проекции. Татьяна очень узнаваема, больше, чем Настя. Таня полностью выпадает из заданного стереотипа красивой манекенщицы, который присутствует в романах Марининой в основном в виде подружек «новых русских» и мафиози.

Другие женские персонажи полностью соответствуют традиционным представлениям о женщине, поскольку они служат контрапунктом в общем интерьере женских портретов, в них чувствуется некий «аромат мыльной оперы».

И. Прохорова иронически, но все же употребляет термин «феминизм» в связи с тем, что реабилитация интеллектуального труда совершается через героиню, а не через героя. «Но этот (не побоюсь этого слова) феминизм почему-то не вызывает читательского раздражения, этот факт даже не замечается. Как будто бы так и должно быть». Видимо, из-за того, что в Насте качества сугубо мужские сосуществуют с женскими. В ней происходит синтез «мужского» — мозга — и «женского» — интуитивного, нелогичного, творческого — начала, генерируемого правым полушарием.

Иначе говоря, она носитель того, что К. Скоков называет «новым типом мышления», и в этом выражается ее неординарность. «Человек, обладающий этим новым, вальсирующим, типом мышления, является (с традиционной точки зрения) гениальным, так как, если у него (нее) преобладает мужское мышление и логика заводит его в тупик, она (он) ищет выход из тупика, используя мышление женское. Если же преобладает женское, то после того, как с помощью эмоций правильно угадано направление движения мысли, используется логика для получения четкого (а не размытого) конечного результата».

Настя не лишена черт, маркированных как женские. Самая ее женская черта — это физическая слабость. Притом она не сыщик-одиночка, она член коллектива, и коллектив этот мужской. Работая среди мужчин, Настя приобретает особый статус — статус любимицы, о которой заботятся. Ее можно сравнить с Кэй Скарпетта, героиней одного из романов Патриции Корнуэлл. Там с Кэй работает типичный «мачо», и ей постоянно приходится отстаивать свое «право на ум». Наоборот, в гармоничном мире близких Насте людей нет никакой агрессии, она защищена от внешнего мира мужской силой и принимает эту защиту как должное. Ее начальник Виктор Алексеевич Гордеев, отчим Леонид Петрович и муж Алексей Чистяков воплощают психоаналитическую «фигуру отца», успокаивающую и добрую.

У Марининой нет открытого разговора о самоощущении женщин в мужском контексте. Только один раз прямым текстом Настя говорит о «половом шовинизме» в русском языке, но не в целях феминистского протеста, а лишь для того, чтобы разгадать криминальную загадку. В романе «Призрак музыки» жертву (женщину) убили по ошибке. «Заказали» владельца машины, киллер слово «владелец» понял в широком смысле, а заказчик имел в виду в узком, как слово мужского рода. Этот языковой шовинизм просто констатируется без особых комментариев.

Автор соблюдает «условия контракта» с читателем и не разочаровывает его. Детектив — высококодифицированный жанр с жесткой формой и телеологической фабулой. Но жанр детектива характеризуется двойственностью, его цель — разоблачение, разъяснение, и он держится на недосказанном. В центре текста лакуна, поскольку отсутствует рассказ о самом преступлении. Это нарративное умолчание особенно остро ощущается в «Седьмой жертве», когда речь ведется с точки зрения жертв и рассказ обрывается до убийства, оставляя портреты персонажей какими-то незаконченными. Эта «черная дыра», вокруг которой строится текст, напоминает женское начало, поскольку суть «женского» трудноуловима, постоянно ускальзывает от определения, составляет «принцип неопределенности». «Женское» играет роль не только на чисто тематическом уровне. Каждый персонаж в романах узнаваем, но тем не менее пределы между ними, бывает, размываются. Даже у Насти несколько двойников: Татьяна, Леша, брат Саша. Автор подчеркивает, что они с последним внешне очень похожи, это Настин мужской alter ego, как замечает К. Т. Непомнящи.

Тема двойника довольно часто встречается (интрига романа «Чужая маска», например, полностью зиждется на этой теме), и в данном случае внешность — самая важная категория. Это отражает размытость личности в парадигме нового общества. Детективный жанр приобщает нас к «эпохе сомнения», о которой писала Н. Саррот. Все могут быть преступниками, поскольку внешне преступник ничем не отличается от не-преступника. Уже в первых романах есть размышления по этому поводу, например, в «Стечении обстоятельств», когда Насте приходится проводить по нескольку часов наедине с киллером. «Настя вглядывалась в лицо своего собеседника и удивлялась его обыкновенности и своеобразной привлекательности. Кто там говорил о пустых и холодных глазах убийц? Нормальный мужик, с нормальными глазами, с приятной улыбкой». Это стало общим местом в детективном жанре. Вообще каждый персонаж в мире детектива может оказаться противоположностью тому, чем он кажется. Спокойный пенсионер может быть начальником преступного бизнеса (Арсен в «Стечении обстоятельств»), «толстая корова» может быть известной писательницей и т. д. Жертва может оказаться убийцей, убийца — жертвой, более того, сам сыщик может оказаться и тем и другим, но чаще всего жертвой, если речь идет о женщине.

Здесь гендерные признаки играют немаловажную роль. В таком именно случае слабость Насти подтверждает эту взаимозаменяемость сыщика и жертвы, когда она часто оказывается в роли потенциальной жертвы, как, между прочим, и Татьяна. В романе Марининой «Седьмая жертва» они обе под угрозой и не знают, на кого из них она обращена. Убийца заметил Настю во время телевизионной передачи и выбрал ее за интеллектуальные качества. Чаще всего Настя оказывается в ситуации жертвы, когда она «наряжена» в сексапильную женщину. Тему нечеткости личности иллюстрирует подход Насти к своей внешности. Собственное тело служит для нее «объектом творчества», поскольку это материал для создания разных персонажей, как правило, красивых женщин. Она наряжается, красится, лепит из своего тела новое, неузнаваемое. Настя «надевает» женственность, как чужой наряд, и превращается из гадкого утенка в прекрасного лебедя, из замарашки — в Золушку.

Если детектив — излюбленный женский жанр, то это, наверное, потому, что он зиждется на игре с видимостью (apparences) и с масками. По мнению Бодрийяра, сущность женского выражается в «стратегии видимости» и в игре со знаками женственности в целях соблазна. Но в случае Насти игра с масками и с внешними атрибутами женственности не ради соблазна, а лишь в рамках работы детектива и в целях разоблачения виновного. Это даже может дойти до физической близости с ним, как, например, в «Игре на чужом поле» с преступным кинорежиссером Дамиром, но голова Насти всегда трезва. Тело — инструмент, и в этом его использовании оригинальность образа Насти. Только в «Седьмой жертве» пробуждается в Насте «женское» желание соблазнить своего мужа, когда она понимает, что убийца хочет убить именно ее, не Татьяну. Близость смерти меняет ее психологию, но и это в порядке исключения. Интересное объяснение дает С. Кузнецов, написавший, что Настя не желает воплощаться, не желает выглядеть, «но, живя в эпоху визуальной культуры, когда предъявлять себя необходимо, она все равно вынуждена это делать, пусть мучительно и болезненно. И это, на мой взгляд, также является определенной фигурой для описания переходного положения советского интеллигента-интроверта, сформированного семидесятыми годами, в новой культуре, где он должен презентироваться — не хочет, но должен». Наступило время, где господствует иллюзия, спектакль. В этих превращениях Насти как нельзя лучше передается зыбкость «женского начала» и «нового мира», в котором происходит действие романов — в современной России.

Мир современного детектива — зыбкий и неустойчивый мир, в котором исчезают четкие, устойчивые ориентиры, теряются традиционные критерии, нравственные и социальные. Детектив является идеальным художественным жанром в эпоху потери равновесия, когда земля уходит из-под ног. Современная Россия — это страна чудес, но далеко не всегда положительных.

Маринина вводит читателя (по крайней мере, западного) в миры ему недоступные. Он узнает правила функционирования разных заведений и иных миров — Петровки, 38, властных структур, издательств и мира кино, мира «новых русских» и мафии и т. д. Традиционная реалистическая функция детектива, рассказывающего о своем времени и фиксирующего социальные сдвиги, сочетается с дидактической и нравоучительной, что является характерной чертой советского детектива. Заметим, что это вообще черта соцреалистической литературы в ее ортодоксальных образцах. Как разобраться в новой действительности? Как выжить семидесятникам в мире девяностых, в мире «перетасованных судеб и капиталов», т. е. мире сплошной инверсии? Что думать о новых явлениях? Как говорит сама Маринина, она не пишет с точки зрения преступника, поскольку считает, что «детектив — это возможность для человека солидаризироваться с силами добра». Если она дает слово преступнику, то для того, чтобы выявить его психологию, чтобы не оставить никакого необъясненного пункта, но совсем не для того, чтобы извинить его или смягчить его вину.

Как подчеркивают многие критики, марининский мир близок к сказке. И. Овчинников пишет о «полусказочности марининского дискурса» (не столько дискурс сказочен, сколько персонажи); по мнению К. Т. Непомнящи, детектив — это «сказка для взрослых», поскольку заранее известно, что он завершается хеппи-эндом, ибо убийца всегда найден и наказан. Налет сказочности позволяет читателю смириться с грубостью мира, в котором он сам живет. Чернуха остается за рамками произведения, но проникает через щель убийствами и предательствами. Нет тяжелой и грубой физиологии (как, например, в детективах Г. Миронова), язык нейтрален (нет жаргона, как, например, у Бушкова и у большинства авторов триллеров), это «смягченный, женский» вариант детектива.

В том, что смягченный вариант — обязательно женский, можно сомневаться, ведь никто не скажет, что произведения Л. Петрушевской — «смягченный, женский» вариант чернухи? Но в данном случае я бы назвала этот вариант «материнским». Традиционно именно матери рассказывают сказки детям, успокаивают их и утешают. Одна из важных функций детектива — функция утешения и успокоения. Маринина, будучи автором-реалистом, не только объясняет, но и настраивает, успокаивает, как мать. Б. Дубин подчеркивает: «Почувствовать себя частицей некой общности — это же очень важно для людей в период, когда былые связи порвались, былые общности распались, хотя страна и не расколота... В этой ситуации Маринина — находка, причал, мирный и надежный берег». Г. Дашевский пишет о совокупности романов Марининой как об «учебнике выживания». В ее произведениях есть и материнская забота, и ласка (хеппи-энд, утешения по поводу разных комплексов), и материнское просветительство (объяснения, описания), и материнский/ отцовский авторитет (советы).

Персонаж Татьяны Образцовой интересен и важен, потому что в нем отчетливо проглядывает фигура автора. Сам автор позволяет провести эту параллель: ведь книга, которую читает Лиля — дочь Стасова, когда они знакомятся с Татьяной, называется «Украденный сон». Это четвертый роман Марининой, его интрига — в сюжете «Игры на чужом поле» — ее третьего романа. Здесь автор вводит в ткань детектива тему писательского творчества. Вообще детективный жанр — саморефлексивный жанр, «металитературная форма par excellence». Таким образом, автор заводит с читателями диалог, отвечает на их возможные вопросы (в «Черном списке», например, Татьяна подробно рассказывает дочери Стасова, как она пишет) и пытается защититься от упреков, отстаивая свое авторство. Ставится вопрос о самом процессе творчества как суррогата действия или как *сверхдействия. Тема материнства и писательства сходятся в образе Татьяны: дочь Стасова сразу полюбила ее, как свою мать, а потом Татьяна сама рожает ребенка. Писательство может совмещаться с семейной жизнью и с материнством, тогда как работа сыщика — нет.*

*Несомненно, женщина-писатель вдвойне уязвима сейчас в России потому, что она женщина, а также и потому, что статус писателя резко изменился в постсоветском пространстве. Массовая культура — продукт для быстрого потребления, и огромный успех произведений Марининой — знак изменения подхода российской публики к литературе и к писателю. Раньше литература была священной сферой, истоком духовных и нравственных ориентиров, писатель был властителем дум. Сейчас писатель скатился по лестнице престижа. Статус читателя детектива неординарен, о нем Ив Рейтер пишет: «Читатель в процессе поиска смысла, конца и завершения этой истории является и палачом, поскольку способствует на всем протяжении повествования развертыванию того, что было объявлено фатальным, и жертвой, поскольку подвергается тому же и не может ничего изменить». Эта смесь пассивности и активности, сопереживания и жесткости характеризует своеобразное удовольствие от чтения детектива. Хотя Маринина и унаследовала традиционную для России дидактическую функцию слова, она сочетает ее с развлекательной и позволяет читателю наслаждаться легким и неутруждаю-*

щим чтением, где доминирует принцип удовольствия, а это женский принцип.

Романы Марининой, сочетая советы и наслаждение (причем наслаждение с некоторым чувством вины), являются лучшим образцом развлекательно-учебной литературы. Из них следует, что женский ответ на насилие и на потерю ориентиров являет собой творчество, обретение личности и голоса, а также и наслаждение, несмотря на сложности каждодневной жизни. Детектив является идеальным полем для развертывания игрового принципа. В этом и состоит «женскость» романов Марининой.

Элен МЕЛА

«...В России ежегодно бесследно исчезают десятки тысяч одиноких пожилых людей, вся «вина» которых заключается только в том, что они являются единоличными собственниками квартир. По далеко не полным данным, на конец марта текущего (1996-го) года более 3,5 тысячи москвичей не появились на новом месте жительства по законно оформленным обменным ордерам. В С.-Петербурге аналогичная цифра приближается к полутора тысячам человек. Люди просто канули в небытие...»

*«Аргументы и факты», 1996, № 31.*

Мы в ответе за тех, кого приручаем...

*Антуан де Сент-Экзюпери*

## Глава 1

Глаза у Ирочки Миловановой были испуганными. Это выражение испуга появилось в них месяц назад и с тех пор не исчезало. Именно месяц назад ее родственница и близкая подруга Татьяна заявила, что будет переезжать в Москву. Работа и привычный образ жизни — это, конечно, прекрасно, но и совесть надо иметь. В Москве живет муж Татьяны, и они очень друг без друга скучают. Да и вообще...

— Ну что «вообще»? Что «вообще»? — кричала Ира, чуть не плача. — Как же я без тебя? Ты обо мне подумала? Что я буду делать, когда ты уедешь?

Вопрос, конечно, был не в том, что Ире после отъезда Татьяны будет нечем заняться и она начнет маяться от скуки и безделья. Хотя и в этом тоже. Когда-то родной брат Ирины Миловановой был первым мужем Татьяны Образцовой. Потом они развелись, и супруг вознамерился отбыть в Канаду на постоянное место жительства. Однако для новой жизни на процветающем Западе нужны были деньги, и много. Раздобыть их можно было только одним способом: продав трехкомнатную квартиру в центре Петербурга. При этом имелось в виду, что после продажи квартиры муж уедет, а Татьяна вернется жить к своему пожилому отцу, чего ей, положа руку на сердце, делать совсем не хотелось. За квартиру в центре города деньги можно было выручить очень приличные. Половину, правда, пришлось бы отдать Татьяне, поскольку квартира эта приобреталась после регистрации брака и, таким образом, считалась совместно нажитым имуществом. Тогда и было принято решение, которое в тот момент казалось странным, но тем не менее всех устраивало. Трехкомнатную квартиру не трогать, а вместо нее продать очень хорошую и недавно отремонтированную квартиру Ирочки. Ира переезжает к Татьяне и живет с ней вместе. В большой трехкомнатной квартире им тесно не будет, с точки зрения психологического комфорта дамы прекрасно уживутся, поскольку знакомы и дружны много лет, а со временем Татьяна купит для свояченицы новую квартиру, не хуже прежней. При этом глагол «купить» подразумевал, что Ира будет вести домашнее хозяйство и вообще полностью возьмет на себя быт, поскольку у Татьяны на это нет ни сил, ни времени. В освобождающееся же таким образом время Татьяна будет интенсивно писать детективы, а гонорары откладывать на приобретение квартиры для родственницы. Зависимость здесь была самая прямая: не будь рядом с Татьяной сестры ее бывшего мужа, она не смогла бы выкраивать время на написание книг, стало быть, возможность зарабатывать литературным трудом непосредственно связана с присутствием Ирочки и ее активной хозяйственно-экономической деятельностью.

Рискованное решение вскоре себя оправдало. Если раньше Татьяна могла позволить себе сочинять детективные повести только во время отпуска, то с переездом к ней Ирочки Миловановой у нее стало высвобождаться время и по выходным, а иногда и по вечерам. Из подающего надежды молодого автора Татьяна Образцова, выпускающая свои произведения под псевдонимом Татьяна Томилина, быстро вырвалась сначала в пятерку, а потом и в тройку лучших детективистов России. Так, по крайней мере, утверждали всевозможные рейтинги. Да и получаемые ею гонорары сей факт не опровергали.

До заветной суммы, позволяющей вполне предметно мечтать о новой квартире, евроремонте и красивой мебели, оставалось совсем немного. И вдруг Татьяна заявляет, что собирается переезжать к мужу в Москву.

— Что ж ты расстраиваешься, — смеялась она в ответ на Ирочкины причитания, — тебе же остается шикарная хата в центре города. И с покупкой новой квартиры возиться не надо, и мебель есть, и ремонт можно пока не делать. Живи в этих хоромах и радуйся. Устраивай свою личную жизнь.

— Чему мне радоваться? — всхлипывала Ира. — Рядом с тобой я при деле была все время, я по утрам просыпалась и понимала, как и что мне нужно сегодня сделать. Главное — я каждую минуту понимала, зачем я все это делаю, ради чего. У меня цель была. А теперь что?

— Ну Ирусенька, — укоризненно качала головой Татьяна, — это все равно случилось бы рано или поздно. Я скопила бы денег на твою квартиру, ты переехала бы и стала жить одна. Мы же не можем с тобой жить вместе до старости.

— Почему? — каждый раз на этом месте Ира задавала один и тот же вопрос. Этот разговор повторялся на протяжении месяца почти ежедневно, и всякий раз, когда он доходил до этого места, Ира спрашивала: «Почему?!» — и смотрела на Татьяну заплаканными больными глазами. — Почему мы не можем жить вместе всегда? Я что, мешаю тебе?

— Ира, пойми, ты — молодая женщина, ты должна жить собственной жизнью, а не моей. И построить свою собственную семью, состоящую из мужа и детей, а не из меня и моих книжек.

— Ну пожалуйста, Таня, возьми меня с собой, — просила Ира. — Не бросай меня...

У Татьяны сердце разрывалось. Она чувствовала и свою вину в том, что так случилось. Когда шесть лет назад Ира переехала к ней, никто не думал о том, во что все это может вылиться. Зато все видели явные и даже тайные преимущества такого решения. Татьяна не лишается жилплощади, более того, приобретает домохозяйку-экономку, на которую можно полностью полагаться и которая освободит ей время для творчества, а бывший супруг получает деньги, позволяющие ему открыть собственное дело в Канаде. Все были довольны. И никто в тот момент не подумал о том, а что же будет, когда ситуация переменится. Вскоре после переезда к Татьяне Ирочка закончила институт, но ни одного дня по специальности не работала, полностью посвятив себя служению талантливой родственнице. Дни ее были целиком заполнены заботами и хлопотами. Она виртуозно научилась устраивать жизнь Татьяны таким образом, чтобы та не тратила впустую и не отрывала от литературной деятельности ни одной лишней минуты и даже секунды. Например, если Татьяна говорила, что ей пора посетить косметический кабинет, Ирочка самолично отправлялась к их постоянному косметологу, придирчиво изучала журнал предварительной записи, выискивая такое время посещения, которое удобно для Татьяны и гарантированно будет соблюдено. Ни в коем случае не вечер: за день случается столько всяких неожиданностей, что маленькие задержки с приемом посетительниц к вечеру выливаются минут в тридцать-сорок, которые Татьяне придется ждать сверх назначенного времени. Ни в коем случае не суббота: если Татьяне не нужно будет ехать на работу, то день должен быть целиком посвящен творчеству. Лучше всего — утро буднего дня. Пусть Татьяне придется встать на полтора часа раньше, все равно она это время потратит на сон, а не на то, чтобы сочинять очередной опус. Выбрав время, Ира начинала выяснять, есть ли в данный момент у этого косметолога нужные кремы и маски, исправна ли аппаратура, которую используют для чисток и массажей, и хорошо ли себя чувствует сама дама-косметолог, нет ли признаков начинающейся простуды или еще какой хвори. А то не дай бог она привезет Татьяну сюда в несусветную рань, а окажется, что приема нет, косметолог заболела. Или аппаратура сломалась. Или нет того крема, который наилучшим образом подходит для Татьяниной кожи. И так далее. То же самое происходило с посещением парикмахерской, портнихи, маникюрши, а также магазина, если Татьяна собиралась покупать обувь, костюм или пальто. Ира предварительно ездила по магазинам сама, смотрела, есть ли достаточно хороший выбор того, что может заинтересовать ее родственницу, выясняла, не случится ли в ближайшее время санитарный день или переучет и ожидается ли поступление новых интересных моделей, и только потом везла туда Татьяну. Надо отдать девушке должное, при такой организации Татьяна ни разу не уехала из магазина без покупки.

Да, все это было чудесно. Кроме одного: Ирочка приобрела профессию дуэньи-наперсницы-компаньонки-экономки-поварихи, но профессия эта спросом не пользуется. А то, чему ее учили в институте, она благополучно забыла, поскольку за все годы, прошедшие после окончания вуза, ни разу эти знания не использовала. Пока она жила с Татьяной, проблема заработка для нее как бы не существовала, ведь родственница взяла ее на полное иждивение и даже в отпуск возила, на море. А что теперь? Как жить после того, как Татьяна уедет в Москву? На что жить? Где и кем работать? Профессии-то в руках нет. Снова начинать учебу?

Было время, когда Ирочке очень хотелось выйти замуж, и она мечтала о том, как Таня скопит денег и купит ей новую квартиру, и в этой новой квартире Ира будет жить с любимым мужем и растить любимых детей. Татьяна постоянно твердила ей о том, что не нужно это мероприятие откладывать, что если есть, за кого выходить, то нужно делать это немедленно, потому что потом может оказаться поздно. «Квартира большая, — говорила она, — все поместимся, тесно не будет. Если он тебе нравится, выходи за него быстро. Развестись всегда сможешь». Сама Татьяна поступала именно так и в данный момент находилась уже в третьем по счету браке. Но Ирочка проявляла какую-то необъяснимую нерешительность, встречалась с нравившимися ей мужчинами, расставалась с ними, но замуж все не выходила. И только однажды сказала: «Я не хочу приводить в нашу квартиру чужого мужика и постоянно беспокоиться о том, чтобы он, не приведи господь, не начал жить на твои деньги. Ведь мы же не сможем разделить хозяйство, правда?» Татьяна сердилась, называла Ирочку всяческими ласковыми по форме, но бранными по сути словами, но ничего изменить не смогла. И вот теперь двадцативосьмилетняя Ира без мужа, без профессии и без работы смотрела на нее огромными, полными слез глазами и спрашивала:

— Почему? Ну почему мы не можем всегда жить вместе?

В такие минуты Татьяне ужасно хотелось махнуть на все рукой и сказать:

«Конечно, Ириша, мы будем жить вместе, как и прежде. Ни о чем не беспокойся, в нашей жизни ничего не изменится. А Стасов — что ж, Стасов взрослый человек, поживет как-нибудь без меня, ведь ты мне гораздо ближе и роднее, чем он. Его я знаю всего полтора года, а тебя — почти десять лет».

В самом деле, как сделать выбор? У нее есть два горячо любимых человека — Ирочка и муж. И в чью же пользу принимать решение? Можно было бы пойти по пути наименьшего сопротивления и объединить их в одной семье. Продать трехкомнатную квартиру в Питере и однокомнатную квартиру Стасова в Москве, и этих денег вместе с той суммой, которая уже отложена на квартиру для Ирочки, вполне хватит на то, чтобы купить одно приличное просторное жилье, отремонтировать его по собственному вкусу и обставить пристойной мебелью. И жить всем вместе. Стасов и Татьяна будут работать, Ирочка по-прежнему возьмется за хозяйство, и все будут довольны. Но Татьяна Образцова понимала, что это будет неправильно.

Одно дело — добровольно согласиться на то, чтобы в течение нескольких лет позаниматься ведением хозяйства Татьяны, потому что таким образом можно помочь родному брату и его бывшей жене, и совсем другое — пожизненно уйти в домработницы. Без всяких перспектив на личную карьеру, на интересную жизнь. Вообще на что бы то ни было. Ирка еще молодая и глупая, ей нравится жить так, как она живет сейчас, и потому она даже не думает о том, что будет послезавтра. Сейчас она, хорошенькая стройная брюнетка, нравится мужчинам, у нее постоянно какой-нибудь роман, и встречаться с поклонниками она свободно может у себя дома, причем даже не выгадывая время, когда Татьяна на работе. Места в квартире действительно много, и никто никому не мешает. Она хорошо одета, ездит на Татьяниной машине, ни в чем не нуждается и испытывает постоянно чувство глубокого и всеобщего комфорта. Особенно когда приходят журналисты или телевизионщики брать у Татьяны интервью, а та обязательно представляет им Ирочку и объясняет, что только благодаря этой темноволосой изящной красавице популярная писательница Татьяна Томилина имеет возможность ваять свои бестселлеры. Ирочка мило улыбается, журналисты в восторге — «какой необычный сюжет!». А потом — фотографии в журналах или крупный план в телевизионной передаче.

И звонки от знакомых и родственников: «Я тебя видела, ты прекрасно выглядела, ты стала знаменитостью...» Материальный достаток, активная личная жизнь и греющие душу успехи Татьяны на литературной стезе — все это создавало Ирочке Миловановой существование, которое ее более чем устраивало. Она, как и все молодые, не могла и не хотела думать о том, а что же будет через десять лет. Она не вечно будет красивой стройной брюнеткой. И достаток закончится в тот самый день, когда она сможет купить себе квартиру и съедет от Татьяны. И успехи Татьянины уже не будут иметь к ней прямого отношения.

Татьяна неоднократно советовала ей начать работать, пусть на полставки, пусть даже на четверть ставки, пусть с почасовой оплатой, но работать, чтобы не терять профессиональные навыки. Но Иру это отчего-то не вдохновляло, быть домоправительницей известной писательницы ей нравилось куда больше, а Татьяна должной настойчивости не проявляла. Им обеим казалось, что время расставания наступит еще очень не скоро. А там видно будет...

И вот это время настало. И стало видно, что все очень непросто. Теперь Татьяна корила себя за легкомыслие, за то, что не сумела настоять на своем и не заставила Иру идти работать, а также за то, что никогда не считала возможным вмешиваться в ее личную жизнь. Лучше было бы проявить бестактность и вмешаться, но заставить ее вовремя выйти замуж и родить ребенка. Тогда она не смотрела бы сейчас на Татьяну этими перепуганными глазами и не спрашивала бы:

— Как же я без тебя? Что я буду делать, когда ты уедешь?

* * *

Начальство Татьяну, естественно, не поддержало. Да и немудрено, работать-то некому, а уж когда такие специалисты, как Образцова, уходят, тогда вообще пиши пропало. Разговор с полковником Исаковым у Татьяны вышел тяжелый и оставил неприятный осадок.

— Как у вас все просто получается! — возмущался полковник. — Решили, видите ли, в Москву переезжать. А работать кто будет?

— Я не понимаю, — чуть удивленно сказала Татьяна. — Вы что, не отпускаете меня?

— Конечно, не отпускаю. С какой это стати, скажите, пожалуйста, я должен вас отпускать? Ну объясните же мне, с чего это вы решили, будто я вас отпущу. И не подумаю. Будете работать, как раньше.

— Григорий Павлович, но я вышла замуж. И я хочу жить вместе со своим мужем. По-моему, это нормальное желание и законом не запрещено. Вы не можете меня удерживать в Петербурге.

— Почему это не могу? Могу. Очень даже могу. Кто сказал, что супруги должны проживать по месту жительства мужа, а не жены? Пусть ваш муж переезжает·сюда, если вы непременно хотите жить вместе. Он у вас, говорят, бывший работник милиции?

— Да, верно.

— Ну вот, и ему здесь работа найдется. Так что не валяйте дурака, уважаемая следователь Образцова, идите и работайте.

— Но, Григорий Павлович... Это несправедливо. Отпустите меня.

— И не подумаю. Вы офицер, извольте выполнять приказы. Идите и работайте.

Такого Татьяна не ожидала. Она, конечно, предполагала, что ее решение уйти с работы в Петербургском УВД не встретит грома аплодисментов, но не думала, что получит прямой, быстрый и хамский по форме отказ. Она готовилась выслушать упреки, сожаления, да что угодно, но никак не отказ.

Поразмыслив над ситуацией, Татьяна поняла, что придется искать обходные пути. Одним из таких путей было обращение к одному из заместителей начальника управления, с которым она когда-то вместе училась на юридическом факультете. Идти к нему не хотелось ужасно. Когда-то, курсе на втором или на третьем, у Татьяны был с ним пламенный, но скоротечный роман, который оставил в ее душе почему-то неприятные воспоминания, хотя ничего плохого между ними, в сущности, не произошло. Но встречаться с этим человеком Татьяна избегала, чего нельзя было сказать о нем. Игорь Величко при каждом удобном случае подходил к Татьяне Образцовой перекинуться парой слов. И теперь, когда она пришла к нему, Величко очень обрадовался, велел секретарше принести чаю с печеньем, внимательно выслушал Татьяну и долго хохотал.

— Тань, ну ты как с луны свалилась! Ты что, ни разу не переходила с места на место?

— Нет. Я только в должности росла. А почему ты спросил?

— Да потому что он разыгрывает типовую комбинацию. Все через это проходят. Никто не может заставить Гришу отпустить тебя. Никто, кроме министра. Для этого ты должна написать рапорт на имя министра внутренних дел с просьбой разрешить тебе перевод из Питера в Москву в связи со вступлением в брак с жителем столицы. И министр, если захочет, наложит на твой рапорт резолюцию: «Разрешить». Обрати внимание: если захочет. А если не захочет, то может написать, например, так: «На усмотрение начальника УВД СПб». И это будет означать, что как генерал решит, так и будет. И тут весь вопрос в том, у кого более короткие ходы к нашему генералу, у Гриши или у тебя. А может быть и третий вариант. Министр просто делает вид, что твоего рапорта не существует. Конечно, самому министру на тебя глубоко наплевать, ты ему никто, он тебя и знать не знает, но ведь у него есть референты и помощники, и рапорт вполне может затеряться у них в столе или случайно оказаться не в той папке. Все зависит от того, кто и о чем их попросит. Так что на самом деле ты полностью сейчас во власти своего начальника Григория Павловича Исакова. Однако Гриша понимает, что у тебя, может, и нет ходов к министру, а у твоего мужа — еще неизвестно. Может, и есть. Может, даже очень короткие эти ходы. Так что отпускать тебя все равно рано или поздно придется. Если он не даст согласия на перевод сейчас, ты начнешь писать рапорта и прошения и все равно добьешься разрешения.

— Но если все так, как ты говоришь, то почему он меня сам не отпускает?

— Да потому что никто ничего просто так не делает, — терпеливо объяснил ей Величко.

— Он взятку, что ли, вымогает?

— Балда ты, Образцова, хоть и умная. На кой ему твоя взятка? Он хочет, чтобы ты пошла к вышестоящему начальству жаловаться на него. Ведь ты же пошла, правильно? Пошла. Ну и вот, потом начальство звонит ему и спрашивает, мол, Григорий Павлович, что там у вас с Образцовой? А то что-то жалуется она на вас. Гриша им и говорит, что работать некому, что нагрузка на одного следователя чуть не по пятьдесят дел одновременно и, что он будет делать, если еще и Образцова уйдет, вообще непонятно. То есть вся питерская преступность вырастет моментом в десять с половиной раз и захлестнет весь город, если принять такое безответственное решение и Образцову отпустить. Тань, ты пойми, это все игры, в которые играют все поголовно. Просто удивительно, что ты как-то ухитрилась в этом не участвовать. Цель всего этого только одна: раз ты уходишь, то нужно заставить тебя сделать как можно больше грязной работы, от которой все отказываются. Например, закончить следствие по делу, которое вели по очереди шесть или семь следователей, растеряв по дороге половину бумаг и почти все доказательства. Всунуть такое дело никому не удается, потому что если приказать, то это будет не завершение следствия, а просто очередной, восьмой следователь, который внесет в имеющийся бардак и свою скромную лепту, а до суда дело все равно не доведет. Или, к примеру, дело, которое просто страшно доводить до конца, потому как жить еще хочется. Добровольно и добросовестно за такое дерьмо никто не возьмется. Если прикажут — они повозятся для видимости месяц-другой и сунут папку с делом в шкаф. Пользы никакой, спасибо еще, если не навредят. Дело дохлое, бесперспективное, и заставить следователя довести его до суда практически невозможно, если следователь в этом сам лично не заинтересован. Вот на таких, как ты, которые хотят, чтобы их отпустили или еще какое одолжение им сделали, эти дела и сваливают. Дескать, сделаешь — и можешь быть свободен. Давайте, Татьяна Григорьевна, искать консенсус, теперь это модно. Мы вам идем навстречу, хотя и не обязаны, так уж и вы нам навстречу пойдите. Не бросайте дело на полдороге, доведите до ума. Понятно, Танюха?

— Понятно, — кивнула она. — И что мне теперь делать в свете регламента ваших игрищ? Ждать, пока Гриша меня вызовет, или самой идти и предлагать свои услуги?

— Подожди пару дней. Я ему позвоню, скажу, что ты ко мне приходила, потом он тебя вызовет и начнет рассказывать, как он не хотел тебя отпускать и как я ему говорил неприятные слова. Он, конечно, в полном праве тебя не отпустить, но раз ты такая стерва и ходишь по начальственным кабинетам, то ему проще разрешить тебе перевод, чем объясняться с руководством, которому ты рассказываешь про Гришу всякие гадости. Ты в этот момент начнешь чувствовать себя ужасно виноватой, и, чтобы ты могла искупить свою вину перед Гришей, тебе будет предложено поработать над некоторыми делами, с которыми никто не может и не хочет справляться. Закончишь — и уматывай в свою столицу.

— Красиво, — Татьяна скупо улыбнулась. — Методика отработана до совершенства. Только я ведь никаких гадостей про Гришу тебе не говорила. Так что ему упрекнуть меня будет не в чем. Этот фокус не пройдет.

— Пройдет, — Величко встал из-за стола и подошел к Татьяне поближе. Теперь он стоял совсем рядом, нависая над ней, — еще как пройдет. Он передаст тебе слова, которые ты якобы говорила мне, и ты никогда в жизни не докажешь, что ты их не говорила. Танечка, дорогая моя, не думай, что следственная работа — это одно, а жизнь — это нечто другое. Это все одно и то же. Ты же в следственной работе такой прием используешь чуть ли не каждый день, правда?

— Правда.

— И он срабатывает. Так почему ты думаешь, что он не сработает в повседневной жизни? Прием рассчитан на человеческую психологию, и в этом смысле он универсален. Для того чтобы все получилось, нужно только знать правила игры и строго их соблюдать. Я эти правила знаю, и Гриша их знает, поэтому у него все получится. Он вызовет тебя и скажет, что я ему звонил. Ты приходила ко мне жаловаться на то, что Гриша тебя не отпускает, и рассказывала о том, что Гриша — гад последний и сволочь, пьет на работе, берет взятки и регулярно трахает на рабочем столе начальника секретариата Свету, или как там у вас ее зовут. И я ему, конечно же, об этом доложил. После такого он не считает возможным удерживать тебя во вверенной ему службе, ему не нужны сотрудники-подлецы, которые готовы оболгать начальника во имя собственных интересов, лучше пусть у него не будет никаких следователей, чем такие. Здесь, заметь себе, хитрость номер раз. Он отпускает тебя не потому, что сверху попросили или приказали, а потому, что ты оказалась последней дрянью и теперь он сам не хочет, чтобы ты у него работала.

— А я скажу ему, что ничего подобного не говорила.

— Правильно. А он тебя спросит в ответ: почему он должен верить тебе, а не мне? Я-то ему сказал, что ты его грязью поливала. И здесь у него хитрость номер два.

— А ты действительно ему это скажешь?

— Да нет, конечно, — рассмеялся Величко. — Зачем? Правилами игры это не предусмотрено. Я скажу ему, что ты у меня была и высказывала недовольство Гришей в связи с тем, что он не отпускает тебя и не дает разрешения на перевод в Москву. Остальное он сам придумает. Есть только один способ доказать, что ты в действительности ничего плохого мне про Гришу не говорила: устроить нам очную ставку. То есть собрать нас в одном кабинете и спросить меня в его присутствии, говорила ли ты мне про него гадости. Но ведь я на такую встречу никогда не соглашусь. Я-то правила игры знаю. Поэтому ты вынуждена будешь считать, что у Гриши есть все основания на тебя обижаться. Да, я, твой давний приятель Игорь Величко, оказался дураком и сволочью, оклеветал тебя в глазах твоего начальника Гриши Исакова, но убедить Гришу ты в этом не можешь, поэтому тебе придется смириться с тем, что он теперь плохо о тебе думает. Ну а остальное уже плавно вытекает из этого.

Татьяна помолчала некоторое время, с любопытством разглядывая лоснящееся довольством крупное лицо Игоря Величко.

— Слушай, у вас в аппарате все такие суки? — внезапно спросила она.

— Конечно, — весело подтвердил Величко. — Если бы мы тут не были суками, как бы мы вами руководили, интересно знать? Ладно, нечего мне мораль читать, сам не маленький. Скажи-ка лучше, запрос на твое личное дело уже послали?

— Пока нет. Зачем людей напрягать, если согласие моего начальства не получено? Как только Гриша скажет, что отпускает меня, я сразу же позвоню мужу, и на следующий день запрос пойдет в Питер.

— Ты держи это на контроле, — посоветовал Игорь. — Предупреди девочек в секретариате, чтобы дали тебе знать, как только запрос придет.

— Зачем? — удивилась Татьяна. — Что это изменит?

— О, дорогая моя, тут все, что угодно, может случиться. Например, запрос потеряется. Ты ждешь неделю, другую, месяц, два, три, а никто тебя не вызывает. Ты уверена, что запрос давно получен и дело ушло в Москву для ознакомления, а на самом деле никто его и не думал в Москву посылать, потому что в отдел кадров запрос не поступал. На тебя грузят самые черные дела, в том числе и опасные для жизни, ты работаешь, полагая, что все это вот-вот кончится, а ничего еще даже и не начиналось. Допустим, дело отошлют в Москву, там его посмотрят, скажут, что ты им подходишь, и направят сюда запрос на откомандирование. Но запрос-то тоже может не дойти. И никто тебя в Москву не откомандирует. Так что бди, глаз с секретариата не спускай, а еще лучше — договорись с мужем, пусть он все запросы из Москвы, и на личное дело, и на откомандирование, берет в собственные руки и везет сюда лично. И ты лично будешь приносить их в секретариат на регистрацию и относить в кадры. Поняла? Только так у тебя есть шанс выбраться отсюда хотя бы месяца через два. А иначе прождешь два года.

— Спасибо за науку, — грустно сказала Татьяна. — Знаешь, Игорь, меня давно уже считают хорошим следователем, но я, вероятно, сильно оторвалась от жизни. Я имею в виду жизнь той системы, в которой мы с тобой работаем. Я здорово умею играть в эти самые игры с прокуратурой, с судами и адвокатами, но я никогда не предполагала, что между «своими» в рамках одной системы тоже играют. Как-то не приходилось мне решать свои личные проблемы через руководство.

— Ну-ну, не сгущай краски-то, — Величко отечески похлопал ее по плечу. — Ты уж прямо монстров каких-то из нас делаешь. Все люди, все человеки, все нормальные. Кстати, если будет совсем туго, сделай финт ушами. Увольняйся из органов, снимай погоны, переезжай в Москву и восстанавливайся. Так многие делают, если начальство не отпускает. На гражданку тебя не имеют права не отпустить, по закону не полагается. Ты не думала о таком варианте?

— Думала, — призналась Татьяна. — Но при восстановлении нужно будет проходить медкомиссию, а я ее не пройду.

— Почему ты думаешь?

— Я специально ходила к врачам, консультировалась. Они сказали, что у меня шансов нет. Лишний вес, а от него все проблемы. Сердце, одышка и так далее. Короче, этот вариант не пройдет.

— Ну что ж, тогда жди, когда Гриша тебе дохлых дел навешает полные руки. Ничего, Танюха, не бойся, прорвешься. Ты же умница, тебе никакие дохлые дела не страшны.

Прогноз, выданный Игорем Величко, оказался точным до малейших деталей. Через три дня Татьяну вызвал Григорий Павлович Исаков и голосом, полным сдерживаемого страдания, объяснил, какая она тварь неблагодарная и что после всего, что произошло, он не может ее удерживать здесь. Пусть уходит на все четыре стороны, но сначала...

Так и получилось, что в декабре, за три недели до нового, 1997 года, следователь Татьяна Образцова приняла к производству несколько дел — одно другого гаже. В основном это были дела, давно «запоротые», по которым своевременно не было сделано самое необходимое, и теперь предстояла нудная, рутинная, но требующая недюжинной изобретательности работа по восстановлению того, что еще можно было восстановить, и по равноценной замене того, что восстановить уже нельзя. И только одно из девяти принятых ею дел было еще относительно свежим, всего месячной давности. Но тоже, судя по всему, радости не сулило. Татьяна решила начать с него.

* * *

Он сидел в переполненной сырой вонючей камере уже месяц. И ничего не понимал. Кроме одного: он должен выдержать. Он должен постараться не сесть на полную катушку, но это — задача номер два. Второстепенная задача. Существенная, конечно, но не самая главная. А самая главная задача, задача номер один, — это не предать человека, который ему доверился. Иначе он не сможет чувствовать себя мужчиной.

Его давно уже не вызывали на допрос. Вообще события развивались как-то неравномерно. Сначала арестовали прямо на улице, заломили руки, избили, кинули в камеру и начали допрашивать по шесть-семь часов подряд. При этом даже не спрашивали, как убил и почему убил, им и без его ответов было все понятно. Спрашивали о другом, о том, чего он не понимал, как ни старался, как ни напрягал мозги. Потом оставили в покое, несколько дней не трогали. Он уж было воодушевился, расценил это как добрый знак, думал, поверили ему и сейчас собирают документы, чтобы его оправдать и отпустить. Не тут-то было! Оправдать, отпустить... Как же, размечтался. Снова стали вызывать, но теперь уже к другим. Те, новые менты оказались понятливыми и, видно, прониклись к нему сочувствием. Кое-что они сделали для него, если не врут, конечно, но потом опять все заглохло. И еще несколько дней — тишина. Непонятно, что происходит. Он ничего не понимает.

В камере ему плохо, само собой, но терпеть

можно. Он ведь не из интеллигентов, не хлюпик, и послать может, и обрезать, и на место поставить, даром, что ли, всю жизнь на улице провел, нравы и обычаи хорошо знает. Всю жизнь, кроме последних двух лет...

«— ...Да что вы нашли в этой музыке? Бестолковая она какая-то, ни смысла, ни ритма. Выключите.

— А ты не там ищешь смысл и ритм. Ты глаза закрой да представь мысленно рисунок, как будто он из звуков состоит. Ты вот пишешь слева направо, и звуки на клавиатуре так же расположены: слева — низкие, справа — высокие. Идет музыка от высоких звуков к низким, а ты представляй линию, которую рисуют справа налево. Понял? Так и следи за музыкой. Не мелодию слушай, а рисунок представляй. Тогда и поймешь...

И он действительно понял. Не сразу, это верно, неделю, помнится, тогда мучился, пока мозги настроил как надо, чтобы выполнять то, что велено. А потом вдруг у него получилось. Зазвучала музыка, а перед глазами рисунок стал появляться, да затейливый такой, изящный, с завитками, даже симметричный. В какой-то момент ему женский профиль почудился, а потом и фигура целиком в длинном одеянии. А дальше случилось и вовсе невероятное. К нему глюки пришли. Прямо вот так, наяву, без таблеток, без ничего. Он к тому времени уже год как не употреблял совсем. Пришли глюки, да чудные такие, совсем непохожие на те, которые раньше бывали, когда он ширялся да покуривал. Вроде как бы фигура эта в длинном одеянии — это Пресвятая Богородица, а перед ней на земле лежит Иисус, снятый с креста. Земля голая, каменистая, сухая. Неприветливая какая-то. Он помнил, что, когда был маленьким еще и ездил с родителями в деревню, его постоянно тянуло лечь на землю. Трава была сочная, зеленая, мягкая, и сама земля была мягкой и пахла как-то особенно, будто призывала его к себе. Он до сих пор этот запах помнит. А там, в глюке этом, земля была такая, что и лечь на нее не хотелось. Вроде враждебная. И казалось, что распятому Иисусу на ней лежать больно и неудобно. И неожиданно пришло осознание того, что не он, Сергей Суриков, так думает, а это сама Дева Мария так чувствует. Смотрит на сына своего мертвого и переживает, что ему неудобно лежать.

Когда он очнулся, музыки уже не было. Заснул, что ли? Вот чудеса-то.

— Что это было? — спросил он тогда.

— Ты научился слушать и понимать.

— И это может случиться еще раз? — Ему очень хотелось, чтобы это повторилось. Было немного страшно, но его в тот момент переполнял восторг.

— Теперь так будет всегда. Ты научился, и

твое умение всегда будет с тобой. Оно уже не исчезнет.

— Как называется музыка?

— Это Бах. Чакона...»

\* \* \*

К первой встрече с подследственным Суриковым Татьяна Образцова готовилась долго, потому что никак не могла разобраться в материалах дела. Такое впечатление, что Суриков неоднократно менял показания, пытаясь выгородить себя, но позиция следствия была какой-то вялой. Хочешь оправдываться — ради бога, мы тебе мешать не станем. Не хочешь оправдываться — твое дело, мы тебя топить не будем. В официальных документах и отчетах это называлось «отсутствие активной наступательной позиции следствия». При допросах Сергея Сурикова, как следовало из имеющихся в деле протоколов, много внимания уделялось вопросу о сообщниках. И ни одного толкового ответа от арестованного получить не удалось. Причем, что любопытно, от него вообще не удалось добиться ни одного толкового ответа, он ведь не признался даже в том убийстве, по обвинению в котором, собственно, и был арестован.

На рассвете 7 ноября 1996 года гражданка Бахметьева Софья Илларионовна, 1910 года рождения, была обнаружена соседями убитой в собственной квартире. Череп восьмидесятишестилетней старухи был проломлен валяющимся здесь же топором. Топор, как водится, не был принесен откуда-то преступником, а принадлежал самой Бахметьевой. По свидетельству соседей, топор этот постоянно находился в кладовке еще с тех времен, когда не было центрального отопления и печки топили дровами. В том, что топор — тот самый, бахметьевский, никто не сомневался, вон и инициалы на рукоятке, Б.Б., что означает «Борис Бахметьев», покойный брат Софьи Илларионовны.

Те же соседи, не дожидаясь вопросов со стороны приехавших работников милиции, сообщили, что у старухи Бахметьевой живет квартирант, молодой и весьма подозрительный. Суриков Сергей. Вроде как старуха Софья Илларионовна пустила его к себе жить с условием, что он будет за ней ухаживать, а она ему за это квартиру отпишет.

Ситуация была распространенной, великое множество одиноких стариков попадалось на удочку таких «ухаживальщиков», подписывали им генеральную доверенность на право распоряжаться всем имуществом, в том числе, естественно, и квартирой, а потом оказывались выброшенными на улицу. И хорошо еще, если на улицу. А то ведь многие оказывались сразу в морге. А многие — и вовсе неизвестно где. Пропадали без вести. Обладатель же генеральной доверенности спокойно продавал квартиру или обменивал. Посему наличие у убитой старой женщины квартиранта автоматически вело к его задержанию. Версия об убийстве на почве приватизации квартиры проверялась в первую очередь, поэтому квартиранта нашли бы и арестовали, даже если бы оказалось, что он в момент убийства находился в командировке в Новой Зеландии. Не сам убил — значит, подельники есть, но то, что имел место групповой сговор, несомненно.

Сергея Сурикова тут же объявили в розыск и через два часа задержали. Похоже, он и не собирался никуда прятаться, задержания не ожидал, потому сопротивления не оказывал. Более того, у него на момент убийства квартирной хозяйки даже алиби не было, не позаботился придумать. И вообще он производил впечатление умственно неполноценного. Дурачок какой-то. Защитить себя толком не может. И наличие группового сговора отрицает.

Татьяна понимала, в чем тут фокус. Махинации с приватизацией квартир, принадлежащих одиноким престарелым людям, расцветали в Питере пышным цветом. Было ясно, что занимаются этим хорошо организованные группы, и группы эти понемногу выявлялись работниками правоохранительных органов. И вот совсем недавно откуда-то просочилась информация, что есть в городе и совсем особая группа. То есть такая особая, что вам, ментам придурочным, в жизни на нее не выйти, потому как вы ни за что не догадаетесь, как она действует. Больше никаких деталей узнать не удалось, но сам факт заставил милиционеров, что называется, встать на дыбы. Как это так — «ни за что не догадаетесь»? Что же мы, глупее преступников, что ли? Теперь по каждому подходящему и даже не очень подходящему случаю следователи и оперативники пытались нащупать следы этой таинственной группы, которая непонятно каким способом выманивает у одиноких стариков квартиры. Поэтому и в дурачка Сурикова они вцепились, хотя должны были, по идее, понимать, что явно криминальный труп с рубленой раной головы не может быть связан с хитрой и замаскированной группой преступников. На то они и есть хитрые и замаскированные, чтобы не вязаться с явным криминалом. Но Сурикова все равно трясли на предмет наличия сообщников. А он ничего путного сказать не мог.

Татьяна снова и снова перечитывала материалы уголовного дела, возбужденного по факту убийства гражданки Бахметьевой С. И. Протоколы допросов соседей Бахметьевой: с кем общался Суриков, с кем вы его видели, кто к нему приходил? Ответы совершенно однотипные: ни с кем и никто. За два года ни один человек, живущий в доме, не видел, чтобы к Сергею Сурикову хоть кто-нибудь приходил. Каждое утро он уходил на работу, около семи-восьми вечера возвращался. Иногда водил бабку Софью в поликлинику. Ходил в магазин за продуктами и иными какими покупками. Но всегда один. Попытка подобраться к группе с этой стороны не удалась. Еще протоколы, на этот раз допросы людей, работавших вместе с Суриковым в универсаме «Балтийский». Спокойный, дисциплинированный, дружелюбный, контактный. Никто о нем ничего плохого сказать не может. На работу не опаздывает, раньше времени не уходит. Да, только вот болел часто. Слабый он, сердце больное. Бывает, привалится к стене, белый весь, и стонет. Пару раз ему «Скорую» вызывали, а так обычно-то он таблеточку пососет и оклемается. Конечно, не надо бы ему с такой хворью грузчиком работать, но на другую работу устроиться сложнее, у него образования нет, даже среднюю школу не окончил. Нет, никто к нему на работу не приходил и не звонил. И он никому не звонил, кроме хозяйки своей. Имя у нее чудное такое, вот-вот, именно, Софья Илларионовна, он ей по нескольку раз в день звонил, спрашивал, как она себя чувствует, чем занимается, не скучает ли, надо ли что-нибудь покупать по дороге с работы. Он о ней очень заботился. Однажды у нее рука начала отниматься, так он тут у нас всех на уши поставил, мол, нет ли у кого знакомого невропатолога, только самого лучшего. Нашли ему хорошего врача, он машину у нас попросил, привез его к своей бабке, потом оформил неделю за свой счет и сидел с ней, ни на шаг не отходил. А когда вышел снова на работу, сказал, что у бабки мог случиться инсульт, но он вовремя спохватился, и врач опытный оказался, в общем, отвели они беду. Радовался как ребенок. С того времени он начал звонить домой буквально каждый час. Говорил, дескать, врач тот его предупредил, что самое главное — ничего не запускать. Как чуть что — моментально принимать меры. Вот он и звонил каждый час Софье-то своей, спрашивал, не немеют ли руки, не кружится ли голова. Бдил, одним словом.

Протокола допроса врача-невропатолога в деле не было, вероятно, с точки зрения поиска таинственной группы он никакого интереса для следователя, занимавшегося этим делом, не представлял.

Вообще все дело было рыхлым и шатким. Прямых улик против Сурикова не было. Но и в его пользу мало что говорило. Сам Сергей не мог внятно объяснить, где он был в момент убийства своей хозяйки Бахметьевой, но и соседи его в это время в доме не видели. И с корыстным мотивом не все понятно, генеральной доверенности на право распоряжаться имуществом Софьи Илларионовны у Сурикова не было. Более того, такая доверенность была оформлена на совершенно другого человека, который, по-видимому, к убийству старушки отношения не имел и не мог иметь. Тогда зачем Сурикову было убивать ее? Но, с другой стороны, кто же еще, кроме него самого, мог убить ее так, чтобы соседи не слышали ни криков, ни шума борьбы, ни прихода посторонних? Только Суриков. Поэтому надо на него давить, пока он не признается и тем самым не подскажет, где и какие доказательства его виновности следует искать. Вот, к примеру, окровавленная одежда. Должна она быть, если ты убиваешь человека ударом топора по затылку? Должна. Ну пусть не море крови, а мелкие частицы-то должны обязательно в разные стороны полететь и попасть на одежду преступника. На той одежде, в которой Суриков был задержан, следов не оказалось. Но если убийца — он, то где-то эта одежда лежит, своего светлого часа дожидается. Вот пусть и покажет, где она.

Татьяна задумчиво листала протоколы, справки, запросы и думала о том, что дело действительно какое-то... не сказать чтобы дурацкое, скорее нелепое. Генеральная доверенность оформлена полгода назад на имя Зои Николаевны Гольдич, два месяца назад получены обменные ордера, поскольку Бахметьева, как выяснилось, хотела переехать из этой квартиры в другую, но у нее не было ни сил, ни знания юридических реалий, чтобы заниматься обменом самой. Таким образом, на протяжении целого месяца, предшествовавшего смерти, Софья Илларионовна уже не была владелицей двухкомнатной квартиры на улице Салтыкова-Щедрина, прямо рядом со станцией метро «Чернышевская». Владели этой квартирой совсем другие люди, а Софье Бахметьевой принадлежала крошечная квартирка в «хрущобе», расположенной у черта на рогах, рядом с Волковым кладбищем, в Купчино, куда метро не ходит и ходить в ближайшие двадцать лет вряд ли будет и выбраться откуда можно только на трамвае, который ходит один раз в сорок минут и влезть в который практически невозможно по причине его ужасающей переполненности. Как утверждают и Гольдич, и Суриков, и новые владельцы квартиры, все было оформлено, но с переездом по обоюдному согласию решили подождать до весны. Смысла в убийстве Бахметьевой не было никакого. Суриков между тем находился под арестом, и никаких других подозреваемых рядом не высвечивалось.

Татьяна глянула на часы. Сейчас приведут подследственного. Она быстро встала из-за стола, подошла к шкафу и открыла дверцу, чтобы посмотреть на себя в укрепленное с внутренней стороны зеркало. Нормально. Не слишком злая, но и не слишком добрая женщина-следователь, не старая, но и не девчонка. Не женщина-вамп, но и не синий чулок. Так, нечто среднее. Для первого допроса как раз то, что нужно.

## Глава 2

— Как вы себя чувствуете? — начала Татьяна обязательный ритуал, который непременно надо соблюдать при допросах, а то случается, подследственные потом жаловаться начинают, что их допрашивали, когда они были чуть ли не при смерти и от плохого самочувствия ничего не соображали. И цена показаниям, данным во время такого допроса, соответственно полгроша в базарный день. — Что-нибудь болит, беспокоит?

— Нет, спасибо, — вежливо ответил Суриков. — Я хорошо себя чувствую.

— Тогда приступим. Моя фамилия Образцова, зовут меня Татьяной Григорьевной, я следователь и буду теперь вести ваше дело.

— Опять, — усмехнулся Суриков. — Не надоело вам?

— Что должно было надоесть? — Татьяна внимательно посмотрела на него.

— Да вся эта канитель. Один следователь, другой, третий. Что вы меня футболите друг к другу? Не знаете, что со мной делать? Так отпустите на все четыре стороны, и с плеч долой.

Перед Татьяной сидел невысокий молодой человек лет двадцати двух — двадцати трех с наглой ухмылкой на лице, обнажающей плохие зубы. Не похоже, чтобы месяц, проведенный в тесной камере с полутора десятками борзых урок, сделал этого Сурикова покладистым или хотя бы забитым. Видно, он вполне адаптировался.

— Кстати, — невозмутимо сказала она, — вопрос, который вы задали, действительно интересный. Почему дело до сих пор не закончено, как вы думаете? До меня им занимались два других следователя. Вы что, не могли найти с ними общий язык?

— Почему? — Суриков пожал плечами. — Я с ними очень хорошо разговаривал, вежливо, на все вопросы отвечал чистосердечно и искренне. Не знаю, что им не понравилось. Вам нужно крайнего найти, чтобы дело сшить, а я для этого лучше всех подхожу, потому и не даете мне покоя, все выискиваете, как бы это меня половчее упечь. Я-то — вот он, перед вами, уже и в камере сижу, так что никаких хлопот, а другого еще найти надо. Вы давайте начинайте допрос, нечего ко мне с обратной стороны подъезжать.

Понятно, подумала Татьяна, тактика ясна. Я, граждане следователи, ни при чем, но ежели вы мне не верите, то это ваша глубоко личная проблема, и в решении этой проблемы я вам не помощник. Все равно выпустите рано или поздно, а и не выпустите, так здесь, в камере, срок все одно идет, опять же на зоне меньше торчать придется. На зоне-то плохо, куда хуже, чем в предвариловке, это всем известно, даже первоходкам. Приблатненный юноша, хотя, судя по ответам на всяческие запросы, срок ни разу не мотал и даже не арестовывался. Задерживался — да, бывало, на трое суток вместе с группой, потом отпускали. Неоднократно попадал вместе с дружками, когда чистили очередной притон, но Сергея Сурикова всегда отпускали. Ни разу он не оказался во время облавы в наркотическом опьянении, и ни разу при нем не обнаружили ни грамма дури, ни таблеточки, ни косячка. Хитрый, что ли? Предусмотрительный? Или...

Татьяна даже слегка вздрогнула, настолько забавной показалась ей пришедшая внезапно в голову мысль. А что, если проверить?

— Мне вас по имени-отчеству называть или можно просто по имени? — осведомилась она.

— Можно по имени, — великодушно разрешил Суриков, — вы же ненамного старше меня.

Ах, хитер, ах, хитер, паскудник, комплименты решил говорить! Татьяна старше его на целых тринадцать лет, и, учитывая ее комплекцию, никто не рискнул бы сказать, что в служебной обстановке она выглядит моложе.

— Ошибаетесь, Сергей Леонидович, я намного старше вас, поэтому не будем играть в панибратство. Скажите, а ваш покровитель знает о том, что вы уже месяц находитесь у нас? Что-то от него ни слуху ни духу. Обычно в таких случаях уже через день-два мы человека выпускаем, а за вас никто не хлопочет. Или вы соскочили?

Дурашливая ухмылка мгновенно исчезла с лица подследственного, теперь на Татьяну смотрели не глаза, а два кусочка ледяного металла.

— Я не соскочил, это он соскочил, — процедил Суриков. — Бросил меня на произвол судьбы, как сука последняя, я вообще безо всего остался, без жилья, без денег. Думал сначала, что он умер, все не мог поверить, что можно вот так человека использовать, как вокзальную шлюху, а потом выбросить за ненадобностью.

— А он, выходит, не умер?

— Прям, умрет он, как же, — фыркнул Суриков. — От него дождешься. Такие не дохнут, такие дольше всех живут. Я как увидел его живым-здоровым, так и кинулся как к родному, мол, возьми под крыло. А он... — Суриков махнул рукой. — Татьяна Григорьевна, сигареткой не угостите?

— Берите. — Она выдвинула ящик стола и достала пачку сигарет и спички. — Так что он

56

сделал, когда вы к нему обратились? Сказал, что не знает вас?

— Ну! А как вы догадались?

Теперь на лице у Сурикова было неподдельное любопытство. Как она догадалась? Да проще простого. Тот работник милиции, на связи у которого состоял член молодежной полукриминальной группировки Сережа Суриков, бросил свою низкооплачиваемую государственную службу, и Сережа стал ему без надобности. Более того, в его новом бизнесе ему совсем не нужно, чтобы около него отирался такой тип, как Сережа, с детства имевший дело с наркотой, угонами машин и прочими подростково-юношескими глупостями. Не особенно умный, хитроватый, малообразованный и не совсем здоровый, к тому же точно знающий, что половину, а то и больше наркотиков, обнаруженных при облавах, этот милиционер клал в собственный карман. На черта ему сдался этот Сережа? Когда пресловутый милиционер вел линию борьбы с наркотиками, у него был Сережа, которого всегда заблаговременно предупреждали о готовящейся облаве, потому он в эти дни не употреблял и даже в карман не клал, чтобы прицепиться было не к чему. Сам Сережа привычным наркоманом не был, зависимость от наркотиков у него не сформировалась, это видно Татьяне невооруженным глазом. Человек, который на месяц отлучен от привычного зелья, ведет себя не так, да и выглядит совсем по-другому.

— Догадаться несложно, — чуть улыбнулась она. — Это, к сожалению, часто встречается. Я хочу сказать, в последние годы, когда люди стали уходить из милиции в бизнес. Такие, как вы, им больше не нужны, и они безжалостно вас бросают. Давно это случилось?

— Два года назад. Может, чуть больше. Я возьму еще сигаретку?

— Конечно. Может быть, вам не стоит курить одну за одной? Все-таки у вас сердце слабое. Или документы врут?

— Не, не врут, все точно. Но курить очень хочется.

— Ну смотрите. А вы подписку ему давали?

— О неразглашении-то? Давал, а как же. Я с ним и раньше дело имел, лет с четырнадцати, он мне в обмен на информацию деньжат подбрасывал. А как мне восемнадцать стукнуло, так сразу подписку с меня взял.

— И вы вот так спокойно мне все это рассказываете? А как же подписка?

— Ну интересно! А что подписка? Подписка — она на простых людей рассчитана, на граждан с улицы. Им я никогда ничего и не рассказывал, мне, Татьяна Григорьевна, еще жить хочется. Я ж понимаю, что со мной сделают, если хоть одна живая душа узнает, что я ссучился. А вы-то и без меня все знаете, у вас самой небось таких подписантов штук двадцать, не меньше. Как вы их по-научному-то называете? Агенты-резиденты?

— Есть еще доверенные лица, — добавила Татьяна. — Но тут вы запутались, Сергей Леонидович, я следователь, а не оперативник. Агентура — это у оперативников. А я вот с бумажками все больше вожусь. Давайте-ка вернемся к тому времени, когда ваш покровитель вас подцепил. Чем вы тогда занимались?

— А ничем.

— Совсем ничем?

— Совсем. Перебивался случайными заработками.

— А жили где?

— Нигде.

— Как это — нигде?

— Вот так. Нигде. Отец помер от пьянства, мать квартиру быстренько продала и к новому хахалю свалила, они эти деньги вместе до сих пор, наверное, пропивают. Я потому и школу бросил еще в девятом классе. Жить негде, спать негде, мотался по подвалам да по случайным знакомым. Лучше всего было, конечно, к притону какому-нибудь присосаться, у него хоть адрес постоянный есть, пока не накроют, конечно. Вот тут меня дядя Петя и зацепил.

Значит, дядя Петя. Уже что-то. При необходимости его можно разыскать, сотрудник, ведущий линию наркотиков, по имени Петр, уволился из органов в девяносто четвертом году. Вполне реально.

— И дальше что?

— Ну ничего. Как очередную облаву провели, всех, кого нужно, повылавливали, меня через пару дней выпустили, и я стал ждать, когда мне дядя Петя сигнал подаст. Он обычно советы мне давал, где пожить пристроиться или хотя бы переночевать несколько дней. Иногда в общежитие какое-нибудь меня приладит, и так далее. А тут смотрю — тишина. Неделя, вторая, хорошо еще — лето было, так я то на лавочке посплю, то вообще на земле. А его все нет и нет. У меня, сами понимаете, проблемы назревают, я ж жил как все, денег не зарабатывал, в долг брал, потом наркотой отдавал. Наркоту-то мне дядя Петя подбрасывал после каждой облавы, так что я обычно с долгами рассчитывался. А тут у меня долгу долларов на семьсот, я два месяца за счет одного кореша пил, ел, гулял, жил в долг и был уверен, что отдам. И — ничего. Кореш наезжать начинает, угрозы там всякие и так далее. А я от ночевок на улице заболел, вы же знаете, у нас воздух сырой. Почки застудил, ноги болят — видно, ревматизм, сверху — бронхит, лекарства купить не на что. Короче говоря, не жизнь, а одно сплошное большое удовольствие. Сердце начало прихватывать по два раза в день. Один раз меня какая-то сердобольная тетка пожалела и целый патрончик валидола дала. Просто подарила. И нитроглицерина упаковку отстегнула. Только благодаря этому и не сдох под кустом. Так и жил, пока к Софье Илларионовне не попал.

— А как вы к ней попали?

— Обыкновенно. Валялся на лавочке с приступом. Старушонка какая-то подходит, приличная такая, и начинает меня жалеть. Я-то уже в норму приходить начал, валидол рассосал, и вдруг такая слабость меня одолела — прямо жуть. Расплакался я на груди у этой старушонки. Жить мне, говорю, негде, и болезнь меня точит неизлечимая, и сам я весь с головы до ног никому не нужный. А она меня слушала-слушала да и говорит: «Ты посиди здесь, сынок, я минут через десять вернусь». Ушла, вернулась и повела меня к Софье. Вот, говорит, сынок, твой шанс, может быть, в этой жизни единственный. Ты сильно болеешь, нельзя тебе на улице оставаться в таком состоянии. Софья Илларионовна тебя подлечит, а там посмотрите, как будет. Только я в тот момент не верил, что она может меня вылечить.

— Почему же?

Татьяне с каждой минутой становилось все интереснее. Неужели Суриков и другим следователям все это рассказывал? Что это, красивая байка, романтическая и сентиментальная, на сочинение которых так щедры бывают уголовники, или действительная история? Если верить показаниям работников универсама «Балтийский», то это вполне может оказаться правдой. Постоянные звонки домой, чтобы справиться о самочувствии Бахметьевой, поиски самого лучшего врача... Но, с другой стороны, эта трогательная сказочка как-то не вяжется с образом полуграмотного глуповатого паренька с дурацкой ухмылкой на лице.

— Почему вам не верилось, что Бахметьева сможет вас вылечить?

— Ой, да вы бы видели ее! — Суриков судорожно сделал последнюю затяжку и раздавил окурок в пепельнице. — Старушка — божий одуванчик, маленькая, худенькая, в платочке, без зубов, на носу очечки, знаете, кругленькие такие, какие в тридцатые годы носили. Сама совсем беспомощная, какое уж там лечение.

Очечки, какие в тридцатые годы носили. Откуда ж ты, Сережа Суриков, семьдесят четвертого года рождения, знаешь, какие очки тогда носили? Для любого другого человека ответить на этот вопрос было бы просто: мол, кино смотрел, книжки читал. Но такой парень, как Суриков, фильмов про тридцатые годы наверняка не смотрел. Ведь где такие фильмы можно теперь увидеть? Только по телевизору. Да и кто их смотрит? Кто угодно, только не молодежь, это уж точно. Разве похож Суриков на мальчика, который будет сидеть на уютном диване перед телевизором и с упоением смотреть старое кино? Нет, не похож. Совсем не похож.

— И что же было дальше? — тихо спросила Татьяна.

\* \* \*

У него не было сил ни удивляться, ни сопротивляться. Ему было очень плохо, сердце колотилось как бешеное, да и температура была, наверное, под сорок. Поэтому Сергей послушно позволил уложить себя в постель. Кровать была старая, пружинная, с никелированными набалдашниками. Сережа таких и не видел никогда. Несмотря на озноб, ему стало так хорошо, что он мгновенно уснул в этой чистой постели, под теплым одеялом. Он проспал, похоже, несколько дней. Правда, он часто просыпался, с удивлением обнаруживал, что чувствует себя намного лучше, и через три минуты снова проваливался в сон. И каждый раз, открывая глаза, он видел перед собой морщинистое старушечье лицо в круглых старомодных очках и с провалившимися в беззубый рот губами. Лицо было добрым и одновременно очень серьезным.

Наконец он отработал весь скопившийся «недосып» и проснулся окончательно, испытывая острый голод. Старушка по-прежнему была рядом, и Сергей понял, к своему ужасу, что не помнит ее имени. Та бабка, которая привела его сюда, как-то ведь назвала хозяйку, но он был тогда в таком состоянии, что почти ничего не слышал и не понимал.

— Вы кто? — без обиняков спросил он.

— Меня зовут Софья Илларионовна. Я тебя выхаживаю, — сообщила старушка спокойно и деловито.

— Давно?

— Шестой день пошел. Очень ты себя запустил, много в тебе всякой хвори. Но ты не беспокойся, все, что еще можно для тебя сделать, я сделаю. Тебя как зовут?

— Сережей.

— Ну вот и славно, — почему-то обрадовалась старушка. — Стало быть, Сережей. Очень хорошо. Есть небось хочешь?

— Очень, — признался Сергей.

— Сейчас принесу.

— Да не надо, — он откинул одеяло и попытался встать с кровати, — я сам.

— Куда сам? — насмешливо сказала Софья. — Ты ж два метра не дойдешь, свалишься. Не веришь — попробуй, только имей в виду, если на пол упадешь, так и останешься лежать, мне тебя не поднять, силы не те.

Он упрямо предпринял попытку встать, но тут же понял, что старушка права. Какие там два метра, он и одного шагу не сделает. Ничего себе болезнь его прихватила! Счастье, что жалостливая бабка подвернулась на его пути, а то так и валялся бы на холодной земле или на асфальте. А может, уже и не на асфальте, а в холодильнике морга.

Софья Илларионовна принесла из кухни протертый овощной суп и накормила его с ложки. Сережа и здесь пытался проявить самостоятельность, очень уж неудобно ему стало перед старой женщиной, но Софья, видно, не привыкла никого убеждать словами, а действовала через практический пример. Она молча дала ему ложку, и Сережа тут же убедился, что не может донести суп до рта. Рука дрожала, и ложка все норовила выпасть прямо на белоснежный пододеяльник.

Покончив с супом, она так же ловко и умело накормила его молочной рисовой кашей со сливочным маслом. Этот вкус напомнил Сереже детство, и он снова чуть не расплакался.

— Ты не стесняйся, — сказала Софья, заметив, что его глаза налились слезами, — это от болезни. Человек, когда тяжело болеет, становится душевно слабым, часто плачет. Это не стыдно. Окрепнешь, поправишься — и все пройдет.

— Вы — доктор? — догадался Суриков.

— Да нет, сынок, не доктор. Но болезнь могу вывести любую, кроме самых неизлечимых. Рак, например, не могу вылечить. И СПИД не могу.

Несмотря на слабость, Сергей расхохотался.

— СПИД? Откуда ж вы про СПИД-то знаете?

— Оттуда, откуда и все, — мирно улыбнулась старушка. — Ты ведь тоже СПИДом не болел, а знаешь про него. Газеты читаю, телевизор смотрю. Да и видела спидушных этих. Приводили ко мне как-то, просили помочь, если смогу. Я не смогла.

— Как же вы лечите, если не доктор? Колдуете, что ли?

— Зачем? В народной медицине от всех болезней средства есть, надо только их знать. Я знаю, потому и лечить умею.

— Откуда вы их знаете?

— Жизнь так сложилась. И не хотела бы, да пришлось.

Больше она в тот раз ничего не сказала. Через несколько дней Софья Илларионовна разрешила Сергею не только вставать, но и ходить минут по пятнадцать. Как только представилась возможность, он обошел всю квартиру и поразился царящим здесь убожеству и нищете. Бахметьева жила очень бедно, мебель кругом стояла старая, разваливающаяся, стол на кухне был покрыт клеенкой, до того протертой и прожженной в разных местах, что она казалась кружевной. Сережа даже испытал нечто вроде стыда за то, что свалился на голову человеку, живущему так скромно. Она, наверное, едва-едва себя прокормить может, а тут еще он со своими болячками.

Еще через две недели регулярного питья каких-то отваров, которые готовила для него Софья Илларионовна, Сергей Суриков полностью восстановился. Пора было уходить из гостеприимного дома. А уходить не хотелось. Здесь было тепло, чисто и надежно. Он все искал слова, чтобы завести с Софьей разговор о своем уходе. Но она начала первой.

— Думаешь уходить? — спросила она как-то, налив в старые чашки с щербатыми краями горячий чай.

— Надо, наверное, — неуверенно ответил Сергей. — Что ж я у вас тут нахлебником...

— А что, не хочется уходить?

— Не хочется, — внезапно признался он, сам того не ожидая.

Еще минуту назад он не был в этом уверен. Он был молод, всего двадцать лет, привычен к вольной жизни без всяких ограничений, без родительского контроля и без слова «надо». Ему просто не может нравиться жизнь с чужой нищей старухой, которой восемьдесят четыре года и которая сама нуждается в уходе.

— Это правильно, — кивнула Бахметьева. — Раз не хочется уходить, значит, ты стал взрослым. Кончилось твое дурное детство и твоя шальная юность, Сереженька, все, конец.

— Я что-то не понял. Это вы о чем?

— О том, что только молодой дурак хочет быть от всех независимым и рвется к самостоятельности и одиночеству. Чем человек старше и мудрее, тем яснее он понимает, что смысл жизни только в том, чтобы быть кому-то нужным. Только в этом. Понял, сынок?

— Нет, — признался Сергей.

Он тогда действительно не понял. Мысль оказалась для него слишком сложной. Зато в голову пришла другая мысль: как это может быть, чтобы слова такой старой бабки были для него слишком сложными? Он что, совсем полный идиот? Такой идиот, что уже не в состоянии понять то, что говорит ему старая безграмотная женщина? Нет, не может такого быть, это болезнь, наверное, сказывается. Может быть, от тяжелых болезней человек не только душой, но и мозгами слабеет.

— Ну ладно, раз не понял, значит, рано тебе еще об этом думать. Твоя душа, значит, быстрее умнеет, чем голова. Ты душой-то правильно чувствуешь, уходить не хочешь, а голова пока еще не поспевает, не справляется. Ну и ладно, потом догонит. Что ж, Сереженька, раз ты хочешь остаться, тогда нам с тобой поговорить нужно. Серьезно поговорить. В первый и в последний раз. Разговор будет тяжелый, поэтому мы один раз через это пройдем и больше возвращаться к нему не будем. Потому как если мы с тобой друг друга правильно поймем, то нам и нужды не будет к этому еще раз возвращаться. А ежели придется снова об этом заговорить, значит, не получилась у нас совместная жизнь, и ты в ту же минуту отсюда уйдешь. Уговор ясен?

Сережа молча кивнул, с недоумением и даже испугом глядя на маленькую сухонькую старушку. Он никак не ожидал, что она начнет ставить ему какие-то условия, да еще так жестко формулировать.

— Ты наркотики давно употребляешь? — неожиданно спросила Софья Илларионовна.

— А... — Сережа аж поперхнулся. — С чего вы взяли, что я употребляю? Никогда я...

— Плохо, сынок. Такой серьезный разговор у нас с тобой, а ты его с вранья начинаешь. Я ж по тебе вижу, что ты употреблял. Ты не наркоман, нет, тебя за то время, что ты у меня пролежал, не ломало. Но есть признаки, по которым я точно вижу: употреблял, и давно, с детства еще. Я понимаю, я старая и слабая, у тебя велик соблазн меня обмануть. Тебя трудно в этом упрекать, вы все, молодые, этим грешите. Старый — что малый, это вам так с детства внушили, а вы и поверили, дурачки. Старики кажутся вам глупыми, их и обмануть не грех. Так вот, чтобы у тебя такого соблазна больше не возникало, я тебе скажу кое-что. Я двадцать лет провела в Сибири, в лагерях и на поселении. Двадцать лет. Столько, сколько ты на свете живешь. Зубы рано потеряла, да и волосы тоже. Но столько я за эти двадцать лет увидела и узнала, что меня теперь обмануть очень трудно. Меня может обмануть только близкий человек, человек, которого я очень сильно люблю и потому закрываю глаза на все и верю ему. А больше никому не удастся, и тебе в том числе, запомни это.

— А за что вас в Сибирь, Софья Илларионовна?

— Ну как за что? — Она усмехнулась, одним глотком допила остывший чай и со стуком поставила чашку на стол. — За то же, за что и всех. Мужа признали врагом народа и расстреляли, а меня как жену врага народа — на двадцать лет. Хорошо еще, сына сумела спасти, ему тогда полгодика всего было. Да мне самой-то было двадцать пять всего. Ушла из дома под конвоем молодой красавицей, а вернулась через двадцать лет больной старухой. Вот так, сынок. Но это я не к тому, чтобы ты меня жалел, я ни в чьей жалости не нуждаюсь, а к тому, чтобы ты понял, сколько разных болезней и горестей я за свою жизнь навидалась. Сибиряки — народ крепкий, цивилизацией не испорчены тогда еще были, все секреты целебных трав, ягод и листьев из поколения в поколение передавали. В тех местах и ламаистов много было, бурят, у них тоже свои секреты есть. Всему научилась. И про наркотики там узнала. Так что, когда в следующий раз врать мне соберешься, подумай как следует. Еще раз на вранье поймаю — расстанемся.

Сережа понимал ее через слово. Он, например, так и не понял, за что же ей присудили двадцать лет лагерей, и почему расстреляли мужа, и почему надо было спасать сына. В школе он учился кое-как, а к тому времени, когда проходили историю двадцатого века, уже не жил дома, отирался по чердакам и подвалам. Его ведь даже и не искал никто, ни мать, ни учителя. Учителя были счастливы, что такой «проблемный ребенок» наконец свалился с их телеги, а мать вообще ничем не интересовалась, кроме выпивки и опохмелки, мозги все пропила еще до Сережиного рождения. Так что слова Софьи Илларионовны в большей своей части оставались для него загадкой. Кто такие ламаисты? Кто такие буряты? Что у них там за секреты такие особые могут быть? Каких таких горестей и болезней Бахметьева навидалась в тех лагерях? И что это за лагеря? Такие, как сейчас, куда направляют после суда для отбытия наказания? Или какие-то другие? Сережа Суриков мало что знал из области уголовной юстиции, но поскольку всю жизнь крутился в криминальных компаниях, у членов которых обязательно кто-то сидел, родственники или знакомые, то ему было понятно, что женщины по двадцать лет в нынешних лагерях не сидят. А как же тогда Софья? Врет, что ли?

— Уговоримся мы с тобой, сынок, так, — продолжала между тем старуха. — Ты можешь остаться жить со мной. Квартирантом. Плату за комнату я с тебя брать не буду, но за это ты будешь за мной ухаживать. В магазин ходить, в квартире убирать, белье в прачечную носить, я все-таки уже очень старая, мне это тяжело. Поручения мои будешь выполнять. Хозяйство вести будем раздельно, мне твои деньги не нужны, у меня пенсия есть, мне хватает. Квартплату, электричество и телефон оплачиваем пополам. Если хочешь, я из твоих продуктов буду тебе готовить. Но за все это ты должен выполнять мои требования. Первое: пойдешь работать. Работать будешь недалеко отсюда, чтобы я могла прийти проверить, не обманываешь ли ты меня. Второе: никаких наркотиков. Категорически, раз и навсегда. Третье: никого ко мне не приводить. Сам можешь гулять, где захочешь, и ночевать, где захочешь, хоть неделю домой не являйся, но здесь чтоб ни одного постороннего не было даже близко. Если уживемся мы с тобой, оставлю тебе эту квартиру, дарственную оформим или еще как, после моей смерти будешь здесь хозяйничать. Но если замечу, что ты мою смерть торопишь, приблизить хочешь, — имей в виду, ничего у тебя не выйдет. Я бумагу напишу, что, если умру не своей смертью, виноват Сергей Суриков, его первого хватайте. Напишу и в надежном месте оставлю. Так что лучше и не затевайся с этими глупостями.

И снова Сережа не очень отчетливо понимал, о чем она толкует. Он был настолько безграмотен, что к тому моменту даже и представить себе не мог, как можно убить человека за квартиру. Зачем? Квартира же тогда ничья будет или по наследству отойдет... Короче говоря, не соображал он в этих делах ничего. Но кое-что понял хорошо: он должен идти работать, не прикасаться к наркотикам и никого из своих знакомых не приводить в эту квартиру. Тогда у него на ближайшее время будет крыша над головой, где он не чувствует себя лишним и ненужным, а впоследствии — собственная квартира. Это его единственный шанс, правильно сказала та бабка, которая его на улице подобрала, больше никаким путем и никогда он никакого жилья не получит. Все было изложено предельно четко. И была еще одна вещь, которую в тот момент осознал Сережа Суриков и которая тогда настолько потрясла его, что превратилась в руководство к действию и в конечном счете изменила всю его жизнь. Он глупее этой старой, этой дряхлой бабки Софьи! Он знает меньше, чем она. Он понимает меньше, чем она. Это стыдно. И это надо исправить. Как странно, что он никогда раньше не замечал своей ограниченности и необразованности. Наверное, это оттого, что общался только с такими же, как он сам, прочитавшими в жизни полторы книжки, да и то в раннем детстве, и смотревшими только боевики по видаку. У него давно уже нет собственного дома, где можно было бы почитать книжку или посмотреть телевизор, какую-нибудь нормальную программу, а не бесконечное кон-фу, и увидеть, какими бывают обычные молодые парни в его возрасте, чем занимаются, как разговаривают, о чем думают. И даже какие фильмы снимают. Ничего этого Сережа Суриков никогда не видел и не знал, вся жизнь его была в общении с такими же придурками-недоносками, как он сам, без конца ширяющимися и поддающими, трахающимися с такими же беспутными, как и они сами, девками. Вот и вся его жизнь. Дурацкая, никому не нужная. И ему самому тоже не нужная. Может быть, Софья Илларионовна вообще единственный человек на свете, которому он нужен. Пусть ненадолго, всего на несколько лет, пока она еще жива, но нужен. Вот и останется он рядом с ней, пока она жива и дышит. Будет помогать ей, будет ходить для нее в магазин, будет разговаривать с ней и, может быть, поймет, почему она умнее его, почему он понимает и знает так мало....

Но всего этого Суриков, конечно, не стал рассказывать следователю Татьяне Григорьевне Образцовой. На ее вопрос: «И что же было дальше?» — он ответил коротко и скупо:

— Я сильно болел, Софья Илларионовна меня приютила, выходила, а потом я у нее остался квартирантом. Помогал чем мог.

— И долго это продолжалось?

— Два года. Да что вы меня спрашиваете, меня уж сто раз про это спрашивали, во всех протоколах написано.

— Скажите, Сергей Леонидович, а почему Софья Илларионовна решила обменять свою квартиру и уехать на окраину города?

— Не знаю, — он пожал плечами. — Она так решила.

— И вы собирались переезжать вместе с ней?

— Ну да. Куда ж мне деваться, другого-то жилья у меня нет.

— Вы ездили в Купчино, смотрели квартиру?

Пауза. Татьяна почувствовала, что вопрос чем-то задел его. Не понравился вопрос. Глаза Сурикова заметались по кабинету, будто выискивая точку опоры, за которую можно уцепиться и придумать правильный ответ.

— Н-нет, — наконец выдавил он.

— А Бахметьева? Она видела эту квартиру?

— Кажется... Не знаю точно. Да какая разница-то?

Теперь Суриков нервничал так сильно, что это не могло укрыться от посторонних глаз. Татьяна подумала, что сейчас он начнет хвататься за сердце и требовать, чтобы допрос прекратили. Избитый приемчик. Видно, разговор вышел на какой-то опасный рубеж.

— Вы говорили, что Софья Илларионовна была старенькой и слабой. Это действительно так?

— Да, конечно. Ей же столько лет было! Она даже в булочную на соседней улице с трудом ходила.

— Понятно. Выходит, она не могла съездить в Купчино сама, без вас?

Снова пауза. Глаза Сурикова опять стали ледяными, но на этот раз Татьяна увидела в них не протест, а ужас.

— Могла или не могла? — повторила она настойчиво.

— Ее могли отвезти обменщики, — выдавил наконец Суриков. — Посадили в машину и отвезли посмотреть квартиру. А я в это время на работе был.

— Могли, — легко согласилась Татьяна. — Но я не понимаю, как вы могли об этом не знать. Она что же, съездила, посмотрела квартиру, в которой вы собирались жить вместе, и ни слова не сказала вам об этом? Простите, плохо верится.

— Она скрытная была, — пробормотал Суриков, глядя куда-то в пол. — Не все мне рассказывала.

Татьяна поняла, что парень начал врать, и решила не запутывать его еще больше. По крайней мере понятно, какие факты нужно проверять в первую очередь. А поймать его на лжи она всегда успеет.

\* \* \*

Татьяну очень интересовал вопрос о Зое Николаевне Гольдич. Кто она такая и почему Бахметьева оформила на ее имя генеральную доверенность? Родственница? Хорошая знакомая, которой можно доверять? Следователь, который вел дело раньше, почему-то этим вопросом не задавался, во всяком случае, в протоколе допроса Гольдич ничего по этому поводу сказано не было. Однако первая же попытка вызвать Зою Николаевну на допрос бесславно провалилась. Гражданка Гольдич как в воду канула. В протоколе и в приложенной к делу генеральной доверенности стояли паспортные данные, которые при проверке оказались липовыми. И по указанному адресу она никогда не проживала.

Это Татьяну озадачило. Как же так? Выходит, дамочка ходила с поддельным паспортом? И ни нотариус, заверявший доверенность, ни следователь этого не заметили. Впрочем, как они могли заметить? Хорошую подделку на глазок не выявишь, а посылать запрос им и в голову не пришло. Но ведь следователь же сумел ее допросить, вот и протокол в деле лежит, значит, как-то он ее все-таки разыскал.

И, вероятно, без особого труда, иначе точно так же, как теперь Татьяна, запросил бы соответствующую службу и выяснил, что данные липовые.

Следователь Валентин Чудаев, однако, этих надежд не оправдал. Ему, как оказалось, даже не пришлось разыскивать Зою Николаевну.

— Она сама явилась, — сказал он Татьяне. — Узнала, что Бахметьеву убили, и пришла ко мне. Дескать, готова ответить на все вопросы, поскольку была знакома с покойной. Хоть и не близко, но вдруг может быть чем-то полезна следствию. Тем более квартирант у Бахметьевой был больно подозрительный. Все советовала нам взяться за него покрепче.

Это было уж совсем странно. В практике самой Татьяны Образцовой такого ни разу не случалось, чтобы свидетель, до которого еще не добралась милиция, сам добровольно являлся давать показания.

— А кем она приходится Бахметьевой, ты выяснил? Почему старушка оформила на нее генералку?

— Какая-то знакомая, имеющая опыт в оформлении квартирных дел. Таня, ты не там ищешь, — поморщился следователь, — убийца — Суриков, это однозначно, его надо дожимать, а не в обменных вопросах ковыряться.

— Что ж ты сам его не дожал, если тебе все понятно?

— Да руки не доходили. Тут такие дела висят — только за голову хватаешься. Банкиров убивают, депутатов, меценатов и еще хрен знает кого, начальство давит, пресса вопит, из аппарата мэра каждый день звонят, отчета требуют. Да что я тебе говорю, ты сама все знаешь. А старушка — это так. Кто она? Никто. За нее шкуру не снимают. Я с этим Суриковым проковырялся несколько дней, на предмет участия в преступной группе его тряс, а когда понял, что он просто дурак-одиночка, тогда другими делами занялся, более важными. Ну что ты на меня так смотришь?

— Ничего, — вздохнула Татьяна. — Все понятно.

Все действительно было понятно. К сожалению, реальная жизнь, в которой приходится существовать работникам милиции, была далека от той идеальной картины, при которой имеет смысл говорить о морали и нравственности. Следователь и оперативник не могут разорваться на несколько частей, как и не могут растянуть одни сутки на неделю. Работы много, сделать все как следует они не успевают, и приходится делать выбор, при котором хотя бы собственная шкура уцелеет. Можно, конечно, их за это порицать, но нельзя с этим не считаться. Чтобы заставить следователя довести до ума такое дело, как убийство Бахметьевой, нужно действительно поставить его в положение, при котором не закончить дело просто нельзя. Вот Татьяну и поставили. Она отлично знала, что арестованные, бывает, сидят в камере по полтора года, пока дело с грехом пополам дотащат до суда. Или приостановят, а арестованного выпустят. Пусть еще спасибо скажет, что выпустили.

— Слушай, — внезапно спросила она, — а почему вопрос о генеральной доверенности выплыл только у тебя? Разве тот следователь, который первым принял дело, этим не занимался?

— Не знаю, — отмахнулся Чудаев, — я не вникал. Не до того было.

Татьяна вернулась к себе в кабинет и снова открыла папку с материалами следствия. Да, на первых допросах, судя по протоколам, вопрос о доверенности вообще не поднимался. Почему же? Неужели следователь был совсем неопытный? Или рассеянный... Она посмотрела на фамилию и усмехнулась. Этот первый следователь находится в данный момент в очередном отпуске. Видно, принял дело накануне отъезда, в последние рабочие дни, потому и делал все спустя рукава. Ладно, вернется — спросим у него. Может быть, он и задавал подследственному этот вопрос, но ответ не показался ему заслуживающим внимания, и он его просто не внес в протокол.

* * *

Прошло два года с тех пор, как Сергей Суриков с обидой и недоумением осознал, что старуха восьмидесяти четырех лет знает и понимает про жизнь куда больше, чем он сам. Будь у него куда уйти и где жить, он бы так и ушел со своим недоумением, утешая себя тем, что ему показалось и что быть этого не может. Но уходить ему было некуда, и он остался у Софьи Илларионовны Бахметьевой, ежедневно и ежечасно ощущая собственную ущербность. Сначала его это злило и раздражало, и он с трудом преодолевал то и дело возникающее желание грубо осадить ее хамской фразой типа: «А ты не умничай!» Слова уже крутились на языке и готовы были вот-вот вырваться, но Сергей вовремя спохватывался: выгонит еще к чертовой матери. А как же обещанная квартира? Жалко, если пролетит, как фанера над Парижем.

А Софья будто и не замечала его злости и раздражения и продолжала разговаривать с ним как с ровней. Особенно любила она порассуждать о том, что человечество уже исчерпало свой интеллектуальный потенциал.

— Человек, — говорила она, — может теперь только открыть то, что раньше было для него закрыто. В физике, например, или в химии, или в астрономии. Но придумать в гуманитарных науках уже ничего невозможно.

Это только кажется, что новое придумали, а на самом деле все уже давно придумано и описано.

Сережа по-прежнему понимал ее через слово, но на всякий случай просил привести пример, надеясь на то, что с примером-то оно легче пойдет.

— Например, — отвечала она, пряча в углах беззубого рта усмешку, которую Сергей, к счастью, не замечал, — известное направление в психологии, которое называется «гештальт-психология», утверждает, что лучше всего человек запоминает незаконченное дело. А дело, которое закончено, быстро стирается из памяти. Это в середине двадцатого века написали. Открыли якобы такую закономерность. А еще в начале девятнадцатого века Александр Сергеевич Грибоедов написал: «Подписано — и с плеч долой». И правильно написал. О законченном деле что думать? Оно уже сделано, и весь разговор. А незаконченное все время на память приходит, грызет человека, покоя ему не дает, сомнения будит. Да вот тебе самый простенький пример. Присутствует человек на торжественном обеде, где подают пятнадцать разных блюд. Он все эти блюда съел, а одно — не успел. Начал только, одну ложку попробовал, а тут уж и тарелки меняют. Ты вот спроси его через месяц, что на том обеде подавали, так он половину блюд не припомнит, а то, недоеденное, вспомнит обязательно. И через год, и через два он его помнить будет, хотя даже про тот обед уже забудет. Кажется, просто все, как таблица умножения, верно ведь? Вот я тебе рассказываю, и тебе все понятно, потому что по жизни это естественно, вроде как и по-другому быть не может. А они: «гештальт-психология»! Новая наука! А тут всей науки-то только что слово новое изобрели, чтобы старую истину назвать. Вот я и говорю, что интеллектуальный потенциал уже исчерпали.

Про Грибоедова Суриков что-то такое помнил из школьной программы, но не очень отчетливо. Чацкий там был какой-то, что ли... Все, что когда-то изучалось в школе, казалось ему скучным и ненужным, как, впрочем, и все, что человек делает в принудительном порядке. И надо же, оказывается, в этих книжках такие умные вещи были! Но учителя ведь так не рассказывали, как Софья Илларионовна. Может быть, если бы они были такими, как старуха Бахметьева, он бы учился лучше, с интересом.

В другой раз Софья, посмотрев по телевизору очередную передачу, принялась ворчать:

— Тоже мне, первооткрыватели, музыкальную терапию выдумали. Тут все дело в учении о звуке, о частотах. Это учение композиторы спокон веку использовали, а теперь выходит, будто только что придумали.

Музыка — это было Сергею понятно. Об

этом он вполне мог поспрашивать у старухи, не боясь выглядеть неучем. Даже был уверен, что уж тут-то «забьет» свою хозяйку по всем статьям. В самом деле, что она-то может в музыке понимать? А он лихо разбирается в тяжелом роке, хэви-метал, рэпе и во всем прочем. А ну посмотрим, Софья Илларионовна, кто кого? Сергей лихо ввязался в разговор, предвкушая триумф. В эту секунду он даже не подумал о том, что пытается затеять соревнование с Софьей, признавая в ней тем самым равного себе соперника.

Однако уже через минуту он увидел, что опять попал впросак.

— Ты вот задумывался когда-нибудь, почему от одной музыки тебе плясать хочется, а от другой тоска на душу наваливается? — спросила Бахметьева.

— Ну ясно же, — бодро заявил Сергей, — одна веселая, а другая грустная.

— Эк у тебя все просто, — усмехнулась старуха. — А отчего это одна музыка грустная, а другая веселая?

— Ну так... — начал было он, но осекся.

А в самом деле, почему? Он никогда об этом не задумывался. Просто принимал как нечто естественное. Одна музыка веселая, другая грустная, вот и все.

— Вот то-то, что «ну так», — передразнила его Софья. — А все дело в частотах, которые через ухо воспринимаются и воздействуют на мозг. У мозга тоже свои частоты есть, причем на разных участках — разные. И от музыки эти участки активизируются.

Она долго еще что-то объясняла ему про большое и малое трезвучие, герцы, мегагерцы и кратность, но тут Сергей уж напрочь ничего не понимал, потому что ни физику, ни биологию в школе не учил совсем, получал сплошные двойки.

— Господи, Софья Илларионовна, — не выдержал он, — да откуда ж вы все это знаете? Прямо ходячая энциклопедия.

Старушка дробно засмеялась, сняла свои смешные очечки и отерла морщинистой ладонью выступившие от смеха слезы.

— А ведь я предупреждала тебя, Сереженька, не считай стариков дураками. Ты все продолжаешь думать, что старый — все равно будто малый. А малый-то и вправду ничего не знает, откуда ему знать? Старики — дело другое. Мы жизнь прожили и в университетах отучились. Да в каких университетах! Нынешним не чета.

— Так вы что, в университете учились? — не поверил Суриков.

— А ты думал, если мне восемьдесят четыре года, так я непременно должна быть неграмотной и необразованной? Глупый ты еще, Сереженька. Это вы, нынешние, даже после университетов необразованными остаетесь, потому как все в упадок пришло и учить вас толком некому. А у нас профессора были — ого-го! С мировыми именами. Самые крупные ученые в своей области. И спрашивали с нас не так, как теперь. И с детства к знаниям приучали, к книгам, к искусству. Мой отец, светлая ему память, крупным специалистом был по машиностроению, знаменитым изобретателем. Эмигрировать после революции не стал, в советскую власть поверил, остался. В одном институте кафедрой заведовал. И я по его стопам пошла, в университет поступила, физикой занималась. Поверишь ли, хотела второй Софьей Ковалевской стать. Да и отец об этом мечтал, недаром же меня при рождении Софьей назвал, в ее честь, стало быть. Род у нас старинный, дворянский, у меня до революции гувернантка была, немка, так она со мной и музыкой занималась, и живописью, и даже стихи сочинять учила. Ну, зато уж когда мужа во враги народа потянули, мне и дворянское происхождение припомнили. А кабы не случилось тогда этой беды, в тридцать пятом-то году, я бы, может, в академики вышла или в профессора. Способная я была, Сереженька, очень способная, большие надежды подавала. Да вот не случилось...

Сергей глядел на нее во все глаза. Эта дряхлая бабка — и дворянское происхождение, музыка, живопись, гувернантка, университет, физика? Да может ли такое быть? Что ж, тогда понятно, почему она столько всего знает. Надо же, бабулька божий одуванчик!

Со временем раздражение и злость ушли, уступив место уважению и невольному восхищению.

## Глава 3

Все как-то привыкли, что в Москве погода обычно бывает чуть помягче и потеплее, чем в Питере. Так действительно бывало почти всегда, и нынешний год не стал исключением. Если, конечно, не считать, что в этом году в Петербурге было в декабре так же тепло, как в Москве. То есть в Москве температура воздуха стабильно держалась на один-два градуса выше, чем в северной столице, но и там и здесь она была плюсовая, что для середины декабря совсем уж необычно.

В то время как следователь Татьяна Образцова, стиснув зубы, взялась вытягивать давно запущенные и ставшие уже безнадежными уголовные дела, чтобы вырвать себе желанную свободу, ее муж, бывший подполковник милиции Владислав Стасов, носился по Москве окрыленный и всем друзьям радостно сообщал, что уговорил-таки Танюшку переезжать к нему и это уже вопрос недель, если не дней.

Настя Каменская была одной из первых, с

кем Стасов поделился новостью. Ради такого случая он подъехал поздно вечером на Петровку, чтобы отвезти Настю домой на машине. Настя приняла предложение с благодарностью, ездить и особенно ходить пешком в позднее и темное время она панически боялась. Машина у Стасова была хорошей, сиденья — удобными и мягкими, салон — просторным и теплым, и Настя, забравшись внутрь, сладостно зажмурилась.

— Ой, Владик, как хорошо-то! Хоть раз в полгода поеду домой как белый человек.

— Ты, между прочим, почему так поздно на работе сидишь, белый человек? У вас опять сиятельные трупы?

— А, — Настя махнула рукой, достала сигарету, закурила, — у нас все время трупы, половина — сиятельные, другая половина — еще какие-нибудь непростые. Где рванули, где стрельнули. А иногда такие попадаются, что хочется все бросить и только ими заниматься. А не дают.

— Гады, — утвердительно кивнул Стасов. — Не дают белому человеку заняться тем, что ему интересно.

— Конечно, гады, — засмеялась Настя. — Вот у меня уже месяц висит убийство — одно удовольствие в нем копаться. Так нет ведь, оно не на контроле, никаких выдающихся трупов там нет, так что приходится урывать тайком время, чтобы им заняться.

— Что за убийство? Поделись, до твоего дома дорога длинная.

— Владик, ты с какого года в органах служил?

— С семьдесят пятого.

— Значит, ты тоже эту историю не застал. Был когда-то в Ленинграде такой крупный валютчик и икорно-рыбный король Сергей Бахметьев. Его взяли в семьдесят третьем, судили и год спустя расстреляли. У Бахметьева остались жена и крошечный двухгодовалый сын. Жена довольно скоро, практически сразу после расстрела мужа, снова вышла замуж, сменила фамилию себе и сыну, уехала к новому мужу в Москву и двадцать лет с небольшим жила припеваючи. И вдруг ни с того ни с сего месяц назад ее и мужа находят в собственной квартире убитыми.

— И что ты видишь в этом интересного? — недоумевающе хмыкнул Стасов. — Убийство как убийство. Или ты не все мне рассказала?

— Про убийство — почти все. Там мало деталей. Супруги Шкарбуль жили спокойной жизнью вместе с сыном Елены Шкарбуль от первого брака. Сын уже взрослый, он семьдесят второго года рождения, стало быть, сейчас ему двадцать четыре. Во время убийства дома не находился, отмечал вдвоем со своей девушкой какую-то интимную дату, не то годовщину знакомства, не то годовщину первого свидания, что-то в этом духе. Вернулся домой на другой день утром и застал «радостную» картину: два трупа в лужах крови. При этом соседи в один голос утверждают, что видели какого-то молодого человека с напряженным и даже испуганным лицом, который входил в подъезд, поднимался на этаж, где живут Шкарбули, и через очень непродолжительное время спускался вниз и выходил из подъезда. И походка у него была несколько неровная. Теперь потерпевшие. Сама Елена — дамочка довольно молодая, ей всего сорок пять, в последние восемь лет нигде не работала, изображала из себя приветливую домохозяйку, до этого была секретарем, печатала на машинке в госучреждении. Она, видишь ли, в свое время вышла замуж за миллионера Бахметьева, будучи совсем юной, лет девятнадцати, посему и образование не получала. Зачем ей образование, когда у мужа столько денег? Потом ребенок, тут уж не до учебы. Короче, тихая спокойная женщина, ни в чем предосудительном не замечена. Ее муж, Юрий Шкарбуль, тоже к бизнесу отношения не имел, он врач-стоматолог. Конечно, частная практика имела место даже тогда, когда это было запрещено, но до прокуратуры дело никогда не доходило. Доктор Шкарбуль умел зарабатывать умеренно и никогда не наглел. Однако жили супруги все двадцать лет отнюдь не бедно. Не шиковали до такой степени, чтобы это бросалось в глаза окружающим и вызывало злобу и непреодолимое желание шепнуть в ментовку, но и не отказывали себе ни в чем. В разумных, естественно, пределах.

— Угу, — подхватил Стасов. — И ты хочешь спросить меня, на какие деньги они так хорошо жили два десятка лет?

— Нет, Владик, спросить не хочу, я хочу услышать твой ответ и сравнить с тем ответом, который появился у меня в голове.

— Опять экспериментируешь? Я не понял, ты кого на дурость проверяешь, меня или себя?

— Себя, конечно. Ты умный и ушлый, это всем известно.

— Ладно, не подлизывайся. Я думаю, жили они на денежки расстрелянного муженька Бахметьева. Видно, во время следствия изъяли только небольшую часть, а остальное где-то осело и досталось вдове.

— Вот и я так думаю. Выходит, я не глупее тебя, Владик, и меня это искренне радует. Ты понимаешь теперь, почему мне интересно заниматься убийством супругов Шкарбуль? Они бизнесом никогда не занимались, стало быть, их убийство — это не разборка на почве отношений, возникших сегодня или хотя бы вчера. Ревность я уже проверила, она там близко не лежала. На удивление прочный брак. И, кстати, внешне пара очень красивая, что Елена, что ее муж. И остались у меня всего две версии: ограбление и платежи по старым счетам.

— Какая же тебе кажется интереснее?

— Ой, Владик, они друг друга стоят, эти версии. Мы-то с тобой понимаем, что те деньги, которые припрятал и спас от конфискации Сергей Бахметьев, наверняка принадлежали не лично ему. Или не целиком. Ты лучше меня должен эту мафиозную кухню представлять. Там всегда есть какие-то сложные взаиморасчеты, общие котлы и прочее. Короче, по-видимому, на те деньги и ценности, которые с чистой совестью взяла себе Елена Бахметьева-Шкарбуль, нашлись и другие претенденты, которые с точно такой же чистой совестью полагают, что имеют на них право. Другой вопрос, почему они так долго ждали, чтобы заявить о своих правах.

— Ну, это-то понятно, — отозвался Стасов. — В то время, я имею в виду в течение нескольких лет после расстрела Бахметьева, шевелиться было нельзя. Взяли, по-видимому, только нескольких человек из огромной группировки, а остальные затихли, чтобы не привлекать к себе внимания. Буря над головой пронеслась — и слава богу, что не задело, только шляпу сорвало ветром. Тем более что и вдова Бахметьева могла ведь не сразу начать тратить эти деньги, она, если была дамой разумной, тоже решила выждать какое-то время. А то милиция сразу увидит: жена расстрелянного валютчика швыряет купюры направо и налево — значит, не все изъяли, осталось еще. Потом время прошло, вдовушка оклемалась, осмелела, ручонку к деньгам потянула, но сперва робко, аккуратненько, так что претендентам ничего такого в глаза не бросилось. А потом-то их и посадить могли, верно? Так что момент вожделенной дележки естественным образом отодвигался.

— Согласна, — кивнула Настя. — Правда, все, кого посадили в конце семидесятых — начале восьмидесятых, давно уже на свободе. Так почему сейчас, а не раньше, сразу после освобождения? Я думаю, тут есть одно привходящее обстоятельство. Понимаешь, Владик, есть чувства-долгожители, а есть — однодневки. Когда у тебя отбирают кусок, честно или якобы честно тобою заслуженный, тебе обидно до слез и хочется его вернуть. Немедленно. Во что бы то ни стало. Но через год тебе уже не хочется за него драться, а через пять лет ты о нем вообще забываешь. За пять лет ты заработал и получил множество других кусков и не станешь выедать сам себе печень из-за одного какого-то куска, который тебе недодали когда-то давно. Верно ведь?

— Ну, в общем, похоже на правду.

— Но если ты новых кусков не заработал и

оказался в ситуации, когда деньги нужны позарез, когда они жизненно необходимы, вот тут ты про этот недоданный кусок будешь вспоминать двадцать пять часов в сутки. Если бы у меня были эти деньги... Если бы меня тогда не обманули... Если бы мне тогда заплатили... Я бы не оказался в таком дерьме, как сейчас... Ну и так далее. И в зависимости от конкретной ситуации и характера конкретного человека мы бы получили труп или трупы тех, кого он считает виноватым в несправедливой дележке. Если у этих виноватых есть что взять, то путем убийства и сопутствующего ему ограбления преступник решает свои финансовые проблемы. Если брать у них нечего, то убийца по крайней мере потешит свою ненависть и злобу, убивая тех, кого он считает виноватыми во всех случившихся с ним несчастьях. Конечно, если соседи по дому видели именно убийцу, а не случайно забредшего в дом нервного молодого человека, можно говорить о найме неопытного киллера, поскольку люди, лично причастные к богатствам Бахметьева, молодыми быть никак не могут. Мне было бы страшно любопытно покопаться в биографиях всех тех, кто тем или иным боком был причастен к делу Бахметьева, проследить их биографии и посмотреть, не оказался ли кто из них в данный момент в сложной ситуации. А еще лучше — найти таких, которые еще полтора месяца назад были в трудном финансовом положении, а сегодня у них все благополучно. Но разве мне дадут заниматься археологией? И мечтать нечего.

— Это точно, — подтвердил Стасов, — и не мечтай. Но версия у тебя любопытная, я бы над такой и сам с удовольствием поработал. Все, подруга, приехали. Тебя до лифта проводить?

Настя открыла дверцу машины и с опаской выглянула наружу. Возле соседнего подъезда кучковались акселераты, судя по голосам, сильно нетрезвые и весьма агрессивные. Точно таких же пьяных обормотов можно было увидеть не только на улице, но и на лестницах, где они обычно оккупировали площадки между этажами.

— Лучше до квартиры, — попросила она. — Если не трудно.

Они вошли в подъезд и сели в лифт. Не успела Настя вставить ключ в замок, как дверь квартиры распахнулась. На пороге стоял ее муж Алексей Чистяков в смокинге, на белоснежной сорочке игриво порхал крыльями галстук-бабочка.

— Уй, елки... — ошалело выдохнул Стасов. — Это что, профессор? Ты куда собрался?

— Я только что пришел.

Чистяков отступил назад, пропуская Настю и Стасова.

— Заходите. Я всегда страшно злился на Аську за то, что она не ходит со мной на банкеты и прочие общественные мероприятия. Но сегодня я ее понял.

— Что, тяжко было? — посочувствовала ему Настя.

— Не то словечко. Знаешь, никогда я так не маялся, как сегодня. В костюмах всегда совершенно нормально себя чувствовал, пил-ел в свое удовольствие, танцевал, за девушками ухаживал. А смокинг оказался для меня смертельным номером. И деваться некуда было, в пригласительном билете написано «black tie», тут уж не вывернешься, без смокинга неприлично идти.

— Не ходил бы, — фыркнула Настя. — Бери с меня пример. Я вот никуда не хожу и отлично себя чувствую. Лешенька, поставь чайник, а?

— Правда, Леш, не ходил бы, — поддержал ее Стасов. — Зачем же так себя истязать?

— Не ходить? Вам легко говорить, вы ребята независимые.

Чистяков пошел на кухню ставить чай и заговорил громче, чтобы не прерывать тираду:

— Отечественная наука сегодня развивается в значительной степени благодаря разным грантам и спонсорским программам. Поэтому на сходняки вроде сегодняшнего ходить надо обязательно, чтобы знакомиться с богатыми или влиятельными людьми, очаровывать их и внушать им, что российская технократия находится в бедственном положении, выползти из которого может только благодаря щедрым пожертвованиям. Я, ребята, у нашей российской математики стал кем-то вроде свадебного генерала. Под меня деньги дадут, поэтому меня и просят посещать всякие приемы и политические тусовки.

Да, под профессора Чистякова, академика нескольких иностранных академий, возглавляющего собственную научную школу и широко известного за рубежом, деньги дадут. Настя это понимала. Поэтому просила только об одном: чтобы Леша не заставлял ее ходить на эти мероприятия вместе с ним. Шум, толпа, духота в сочетании с узкими туфлями и нарядным платьем делали для нее такое времяпрепровождение невыносимым. И потом, ей было откровенно скучно.

— Все, профессор, принимай свою супругу по описи, две руки, две ноги, три головы и одна большая сумка. Я побежал, — заявил Стасов, пожал руку Алексею, чмокнул Настю в нос и умчался.

Настя уселась на кухне и стала терпеливо ждать, пока закипит чайник. Алексей в комнате снимал свой парадный наряд. Она подумала, что раз он был на приеме, то, наверное, ужина нет, напрасно она мечтала о горячей вкусной еде. Придется перебиться чем-нибудь быстрым и холодным. Она стала прикидывать, с чем бы сделать бутерброд, и не смогла вспомнить, остался ли у них сыр или ветчина или они вчера еще все съели. О том, чтобы встать со стула, подойти к холодильнику и заглянуть в него, речь, разумеется, просто не шла.

— Леш, — крикнула она, — а у нас чего есть на хлебушек положить?

— Зачем тебе?

— Кушать очень хочется. Бутерброд к чаю сделаю.

Леша заглянул на кухню и озабоченно посмотрел на жену.

— А что, отбивные с цветной капустой не будешь? Ты же их всегда любила.

— Разве у нас есть?

Чистяков молча прошел к холодильнику, достал кастрюлю и сковороду и с грохотом поставил их на плиту.

— Твоя лень переходит всякие разумные пределы, — сердито сказал он. — Ладно, ты ленишься готовить и разогревать, но хотя бы посмотреть в холодильник ты можешь?

— Извини, солнышко, — пробормотала Настя пристыженно, — я была уверена, что ты из-за банкета ничего не готовил, у тебя времени, наверное, не было.

— А ты, наверное, если бы пришла домой раньше меня, так и сидела бы на стуле и мечтала о кренделях небесных, пытаясь вспомнить, что у нас есть такого, из чего можно приготовить банальный бутерброд. Аська, я не понимаю, как я это терплю столько лет.

— Ну я же сказала: извини. Между прочим, у Стасова большая жизненная радость. — Она попыталась увести разговор в сторону от собственных недостатков.

— Какая? — живо заинтересовался Леша.

Он стоял возле плиты в майке и плавках и укладывал на сковороду отваренную цветную капусту и отбивные. Вид у него был забавный — высоченный, худой, сутулый, со всклокоченными рыжими волосами, Чистяков был в эту минуту страшно похож на персонажа из какого-то мультсериала, только Настя не могла вспомнить какого.

— Татьяна согласилась переехать в Москву.

— Да?

Леша оторвался от сковородки и бросил на жену непонимающий взгляд.

— И в чем радость?

— Да ты что, Лешик, — возмутилась Настя, — Танюшка же его любимая жена. Как это «в чем радость»? В том, что она переедет в Москву и будет жить с ним вместе.

— А что же она раньше не переезжала? Они ведь, если память мне не изменяет, женаты уже больше года.

— Не хотела. А Стасов ее все время уговаривал и наконец уговорил. Ты что, Леш? Ты чем недоволен? Что тебе не нравится?

— Мне не нравится твой энтузиазм. Татьяна всю жизнь жила и работала в Питере, там ее отец, родственники, друзья, коллеги. И совершенно понятно, почему она не хотела переезжать. С какой стати она должна все это бросать ради Стасова? Она что, решила принципиально сменить стиль жизни и род занятий?

— Кажется, нет. Стасов сказал, что она переводится в следственный комитет на такую же должность.

— Значит, она добровольно решила поставить крест на своей карьере. Она не сможет сразу стать в Москве хорошим следователем, здесь для нее все чужое, чужие люди вокруг, чужие интриги, в которые она начнет все время вляпываться и тратить время и нервы на то, чтобы из них вылезти. Профессионально она сразу спустится на несколько ступенек вниз, и еще неизвестно, через сколько лет ей удастся все это наверстать. И ради чего? Ради Стасова? Асенька, я прекрасно отношусь к нему, но я не поощряю мужчин, которые пытаются навязать своим женам собственное представление о том, как нужно жить и организовывать быт. Поэтому при всей моей любви к нашему другу Стасову я считаю, что он поступает неправильно, заставляя Таню переезжать. Разве ей плохо в Питере? И разве ей будет лучше здесь, где она никого не знает? Если уж он так страдает без нее и хочет видеть ее каждый день, пусть собирает вещички и уматывает на берега Невы. Если он не может без нее жить, то пусть он и испытывает неудобства, связанные с отрывом от дочери, матери, друзей, привычного жилья и интересной работы. Он, а не она, понимаешь? Нельзя решать собственные проблемы за счет других людей.

Настя удрученно молчала. Леша прав и не прав одновременно. Интересно, как бы ей понравилось, если бы он попытался заставить ее переехать к нему в Жуковский и оттуда мотаться на Петровку каждый день. Если бы он начал устраивать ей сцены из-за отсутствия детей или из-за того, что она не занимается домашним хозяйством. Нет, ей бы это категорически не понравилось, но Леша и не стал бы этого делать. Он, как и она сама, приверженец четко сформулированного принципа: не пытайся менять людей и делать их такими, какими они тебе понравятся; либо принимай их такими, какие они есть, и люби такими, либо не люби их совсем, тебя никто не заставляет. Любить человека или не любить — это твоя проблема и твой выбор, и не пытайся облегчить его за счет другого.

Настя с такой постановкой вопроса была полностью согласна. Но в то же время это правило, существовавшее для нее самой и ее мужа, вовсе не было обязательным для Стасова и Татьяны. Они — другие, у них другие внутренние правила и принципы. Стасов считает возможным настаивать на том, чтобы Татьяна переехала. Лешка никогда бы этого не сделал, но он — Чистяков. А Стасов — это Стасов. И нельзя требовать от него, чтобы все его поступки отвечали твоим личным стандартам.

— Не злись, Леша, — примирительно сказала Настя. — Может быть, ты и осуждаешь Владика, но он так искренне радуется, что просто нельзя не радоваться вместе с ним. И надень на себя что-нибудь, пожалуйста, ты замерзнешь.

Алексей, однако, ничуть не злился.

* * *

Убийство Елены Шкарбуль и ее мужа по всем статьям тянуло на корыстное, совершенное с целью ограбления. Приехавшая на место преступления бригада обнаружила в квартире полный беспорядок. Вещи разбросаны, валяются на полу, дверцы шкафов открыты, встроенный в стену сейф тоже открыт. Беда была, однако, в том, что никто не мог сказать, какие ценности похищены.

Главным источником информации был, конечно же, сын Елены Шкарбуль Виталий.

— Я не знаю, что хранилось в сейфе, — говорил он. — Отец не разрешал мне туда заглядывать. И вообще, сейф был в родительской спальне.

— Ну хорошо, вы не знали точно, что именно там лежит, но, может быть, у вас есть предположения? Что там хранилось? Деньги? Ценности? Ювелирные изделия?

Следователь Гмыря был терпелив и никуда не торопился. Он, в отличие от многих своих коллег, не любил, когда у него подследственные сидели под арестом месяцами, и в этих случаях обычно спешил закончить дело. Но коль никто не арестован и даже реальных подозреваемых нет, то можно колесницу не гнать.

— Честное слово, я не знаю. Но я не думаю, что там были деньги. Мама с папой всегда очень боялись пожара или кражи и, сколько я себя помню, деньги держали в сбербанке.

Это было похоже на правду. При обыске обнаружили сберкнижки на разные виды вкладов, общая сумма получалась солидной.

— А украшения из драгоценных металлов? Могли они лежать в сейфе?

— Не знаю. Какие украшения? Все, что у мамы было, она носила. Она очень любила надевать золотые вещи. Никаких других украшений я у нее не видел.

То, что «мама носила», лежало, по словам Виталия, на туалетном столике в спальне, в специальной красивой шкатулочке. Все это исчезло и было со слов того же Виталия тщательно перечислено в протоколе. Кроме того, были опрошены знакомые семьи, бывавшие в доме у Шкарбулей, и в опись похищенных украшений Елены были внесены уточнения и дополнения.

Разумеется, трудно ожидать от двадцатичетырехлетнего молодого человека, что он точно вспомнит, сколько лепестков было на цветке-кулоне или сколько камней в перстне и какой модели была толстая цепь, которую Елена носила на шее, Картье или Шанель.

Самым «легким» подозреваемым, конечно, с самого начала был Виталий Шкарбуль. Надоело жить под родительским надзором, надо их убить и жить одному (или с кем захочется) в просторной четырехкомнатной квартире и тратить мамины-папины денежки. Такие случаи в практике попадались, но нечасто. Однако почти сразу эту версию пришлось подвергнуть сомнению. Во-первых, Виталию и без того ни в чем отказа не было, Елена и Юрий давали ему столько денег, сколько он попросит. Во-вторых, опрос друзей самого Виталия подтвердил, что если он и просил у родителей деньги, то немного и далеко не каждую неделю. Он был вполне благополучным молодым человеком, закончил академию экономики и финансов и работал в одном из московских банков. Звезд с неба не хватает, но дисциплинированный, спокойный, с хорошими перспективами в плане карьеры, если будет постоянно повышать квалификацию. У него не было замашек, свойственных некоторым «новым русским», и он вовсе не стремился к тому, чтобы рубашки, которые он носит, были непременно за 100 долларов и от Диора. Он, конечно, как и все молодые люди его возраста, хотел ездить на «Феррари», но пока что катался на «Жигулях» седьмой модели и был вполне доволен, оставив «Феррари» на будущее, как некую мечту, к которой надо стремиться. Если ему нужно было куда-то позвонить, когда он ехал в машине, он выходил и звонил из автомата, даже не заикаясь отцу, что хочет иметь сотовую связь.

Никто не усомнился в том, что Виталий любит своих родителей, и никто не посмел утверждать, что жизнь с ними была для него в тягость. Они были хорошей дружной семьей, а места в квартире было более чем достаточно, чтобы никто никому не мешал. Кроме того, как утверждали друзья семьи, супруги Шкарбуль неоднократно предлагали сыну разменять квартиру и отселить его, на что юноша отвечал твердым отказом, говоря, что ему и с родителями очень даже хорошо и в отделении нет никакой необходимости. Вот когда дело дойдет до женитьбы, тогда, может быть... Однако и в вопросах женитьбы Виталий Шкарбуль проявлял завидное здравомыслие, вовсе не стремясь повесить проблемы неработающей жены и маленького ребенка на шею маме и папе. Он полагал, что должен встать на ноги и иметь возможность самостоятельно содержать семью, поэтому жениться собирался не раньше чем годам к тридцати. О чем и ставил в известность всех своих знакомых девушек, чтобы не обольщались понапрасну, если не готовы так долго ждать.

Кроме того (и это было для следователя Гмыри одним из решающих аргументов в пользу снятия подозрений с сына погибших), у Виталия Шкарбуля не было ни долгов, ни порочных пристрастий к азартным играм, то есть не было острой необходимости в срочном добывании денег, да еще таким ужасным, отвратительным способом. А для того чтобы убить собственных родителей не под влиянием каких-то особо давящих обстоятельств, а просто так, без причины, «на голубом глазу», надо быть уж совсем не человеком. Нет, на такое Виталий явно не тянул.

Разбираясь с убийством супругов Шкарбуль, Настя Каменская вспомнила одно странное на первый взгляд убийство, совершенное меньше года назад. Девица-наркоманка застрелила отца и мать и спокойно объяснила свои действия тем, что они ей свободы не давали и вообще надоели своим присутствием. Но она была настоящей наркоманкой, практически не выходящей из состояния транса. А Виталий... Абсолютно нормальный парень. Кстати, не только наркотики не употребляет, но и не пьет и даже не курит.

И, наконец, были следы. Следы кого-то постороннего в квартире. Вполне вероятно, того самого молодого человека, которого видели соседи как раз в то время, когда, по заключению медицинского эксперта, наступила смерть Елены Шкарбуль и ее мужа. Иными словами — вечером, около 22 часов, 6 ноября.

Кто этот молодой человек? Где его искать? Какое отношение он имеет к семье Шкарбуль? А если никакого, то кто его нанял?

Вопросы, вопросы... Настя Каменская с удовольствием посвятила бы все свое время поискам ответов на них, но времени этого у нее не было. Были другие убийства, другие потерпевшие и другие преступники, которые требовали внимания более настоятельно, чем убийство врача-стоматолога и его неработающей жены.

\* \* \*

Ему снова снился этот сон. Он приходил к нему почти каждую ночь и заставлял просыпаться в холодном поту и с застрявшим в горле криком. Огромные лужи крови, даже не лужи, а моря, только неглубокие, и он зачем-то ходит по этим морям, не то ищет что-то, не то задание какое-то выполняет. Ему не хочется ходить по щиколотку в крови, ему хочется выйти на берег и идти по траве, но он все ходит и ходит, потому что должен. Только он никак не может вспомнить, что же он должен сделать, зачем ходит по этим морям крови.

Самое страшное, что потом сон поворачивается каждый раз по-разному. Кровь в одной из луж начинает пениться и вздыбливаться, потом принимает очертания головы. Одной только головы, без тела и шеи. Кровь медленно стекает с нее, и появляется жуткое мертвое лицо. Он никогда не знает заранее, чье это будет лицо. Иногда это бывают лица знакомых девушек, иногда — ребят, с которыми когда-то вместе в школе учился, иногда даже школьных учителей, которых он ненавидел в детстве, или даже соседей по дому. Иногда это было лицо матери или отца. Иногда — сморщенное старческое лицо с запавшими губами над беззубым ртом и со смешными круглыми очками на носу. Этого старческого лица он боялся больше всего. И каждый раз, когда во сне кровавая лужа начинала пениться и бурлить, принимая форму человеческой головы, он в ужасе твердил про себя:

— Пусть это будет не она! Пусть это будет не она! Кто угодно, только не она!

Эти мгновения ожидания и были в том кошмаре самыми страшными.

\* \* \*

Попытки разыскать таинственную Зою Николаевну Гольдич пока результата не давали, но Татьяна Образцова чувствовала, что дело тут не в ее личности, а в самом факте ее существо-

108

вания, появления и исчезновения. Если бы Татьяне предложили объяснить этот феномен, но взамен лишить ее возможности выяснить, кто такая Гольдич и почему у нее на руках фальшивый паспорт, следователь Образцова немедленно согласилась бы.

Второй допрос подследственного Сурикова она решила провести на следующий день после первого. Это тоже было частью старой отработанной тактики: вызывать человека из камеры на протяжении полутора-двух недель ежедневно в одно и то же время, а потом «забыть» про него. Очень хороший эффект иногда дает.

Суриков уселся напротив нее все с той же нагловатой ухмылкой.

— Ну, здрасьте, Татьяна Григорьевна, а я уж было приготовился с новым следователем знакомиться. Даже пожалел в глубине души.

— Отчего же? — сухо спросила Татьяна, быстро заполняя бланк протокола допроса.

— А вы добрая. Покурить мне дали. И потом, вы красивая, на вас смотреть приятно.

— Подследственный Суриков, если вы плохо чувствуете дистанцию, я буду вынуждена постоянно указывать вам на ваше место, чтобы вы его не забывали. Тогда наша беседа вряд ли покажется вам приятной. Так как, можно мне называть вас Сергеем Леонидовичем или вы собираетесь вынудить меня называть вас подследственным?

Ей показалось, или ухмылка на его лице словно бы чуть-чуть померкла? Самую капельку. И снова засияла во всей красе.

— Ладно, извините, погорячился. Так о чем сегодня будем говорить?

— О Зое Николаевне.

— А это кто ж такая будет?

— А это я у вас, Сергей Леонидович, хочу спросить. Кто такая Зоя Николаевна Гольдич?

— Ах эта... Да какая-то знакомая моей хозяйки. Я с ней и незнаком совсем.

— Как она выглядит?

— Зоя-то? Ну, видная такая, дородная, лет сорок пять, наверное, фигуристая. В теле, в общем.

— Цвет волос какой?

— Цвет? Этот, как его... Коричневый.

— А прическа?

— Что — прическа?

— Ну, прическа у нее какая?

— Да какая... Обыкновенная.

— Сергей Леонидович, обыкновенной прическа может быть только у мужчин, и то очень условно. У женских причесок слишком много всяких разновидностей и вариантов, чтобы можно было называть их обыкновенными. Так какая прическа у Гольдич?

— Короткая. Стриженая она. Вот как вы, в точности как вы.

— Я не стриженая, у меня волосы длинные

и забраны на затылке в узел. Внешне выглядит как гладкая прическа. Подумайте, Сергей Леонидович, у Гольдич была именно короткая стрижка или волосы забраны в гладкую прическу?

— Ну я же говорю: как у вас.

— Понятно. А голос какой?

— Звучный такой.

— Высокий, низкий?

— Низкий. Нет, пожалуй, средний.

Татьяна задавала Сурикову еще множество других вопросов, и важных для следствия, и отвлекающих, позволяющих поймать его в ловушку. Потом протянула ему протокол.

— Прочтите внимательно и распишитесь на каждой странице. Если что-то неправильно, скажите, вместе исправим, — машинально произнесла она, думая совсем о другом.

Судя по занесенным в протокол паспортным данным, Зое Николаевне Гольдич было тридцать два года. Понятно, что паспорт фальшивый, но женщина, которой на вид лет сорок пять, не посмеет предъявлять липовый паспорт, согласно которому она на полтора десятка лет моложе. Нет, не посмеет. Значит, женщина, приходившая сюда к следователю и имевшая на руках, кроме паспорта, еще и генеральную доверенность от Бахметьевой, выглядела совсем не так, как только что описал Суриков.

И что же все это означает?

* * *

Через два года он уже был другим. Но именно через два года, а не сразу. И конечно, условия, поставленные Софьей Илларионовной, не рассматривал с самого начала как закон, который следует исполнять во что бы то ни стало.

Он скучал по вольной жизни без режима, обязательств, утреннего подъема в семь часов. И хотя понимал, что эта вольная жизнь не может длиться долго, что его либо посадят, либо убьют, либо заберут в больницу, все равно скучал по ней. Сергею тяжело было вести со старухой Бахметьевой разговоры, которые были для него слишком сложными и заумными. Открыто признаваться в непонимании не хотелось, юношеский гонор играл, поэтому приходилось слушать и с важным видом кивать, будто соглашаясь. Ему казалось, что Софья попадается на эту удочку и видит в нем достойного и интересного собеседника. С одной стороны, конечно, лестно, но с другой... Сесть бы сейчас с корешами, ударить по пиву, потрепаться о всякой ерунде, не особо выбирая слова и обильно пересыпая свою речь жаргонными словечками. С Бахметьевой он почему-то стеснялся разговаривать так, как привык, а говорить по-другому ему еще было трудно. Практики нет.

В какой-то момент, примерно через месяц после выздоровления, Суриков сорвался. Он страшно устал от напряжения, в котором постоянно находился в присутствии своей хозяйки, ему стало невыносимо скучно, и он махнул рукой на все запреты и мечты о квартире, прогулял рабочий день и рванул в тот район, где раньше кучковался с корешами. Найти приятелей оказалось несложным, и встречен он был радостно. Посыпались вопросы: куда пропал, где был. Не виделись они давно, с тех пор еще, как дядя Петя исчез окончательно с горизонта и стало ясно, что в ближайшее время поступлений не предвидится и долг Сереже отдать не удастся. С приятелями тут же закатились на чью-то хату, глотнули какой-то смеси (по случаю возвращения блудного друга «колес» отсыпали бесплатно) и оттянулись по полной программе. С девками и с забойной музыкой. Давно уже Сурикову не было так легко и хорошо. Не надо ни во что вникать, мозги напрягать, сдерживать себя. Полная свобода! Вечный кайф!

Через два дня хату пришлось освобождать, вернулись хозяева. Сергею даже в голову не пришло позвонить старухе, предупредить, что ночевать не будет. Он в тот момент был уверен, что никогда не вернется к ней. Да пошла она со своей квартирой! Будет он ради какой-то задрипанной квартиры жизнь свою губить. Очень надо. Правила у нее, требования, и вообще мудреная она какая-то. Нет, не по нему такая жизнь. Лучше с корешами. Они простые и свои в доску.

Еще четыре дня он провел в привычных скитаниях, ночевал где придется, когда с компанией, а когда и один. Через неделю после ухода из дома Бахметьевой он впервые подумал о том, как же старуха там без него. Он-то без нее нормально, можно даже сказать — отлично, а вот она... Старая же совсем, даже в магазин с трудом ходит. Почему-то вспомнилось, что Софья Илларионовна просила его оконные щели утеплителем проложить, зима на носу, в комнате холодно. Он обещал, но не сделал. В выходной собирался.

Ему было страшно признаться себе, что он скучает по своей хозяйке. Он никогда в жизни ни по кому не скучал, даже по матери-алкоголичке. Решение вернуться зрело трудно, он боялся гнева старухи, выговоров и нравоучений. Последней каплей стало появление того типа, которому Сергей задолжал деньги.

К Софье он приполз избитый, с кровоточащей губой, в разорванной куртке. Старуха ни слова не сказала, отправила его в ванную, потом снова, как раньше, уложила в постель и поила своими чудодейственными отварами. Наутро только спросила:

— На работу пойдешь или как?

— Не знаю, — осторожно ответил Сергей. — Если не выгоните — пойду.

— А если выгоню?

— Тогда не пойду. Какая ж тут работа, когда ночевать негде.

— Иди работай, — сухо сказала Бахметьева. — Если тебя, конечно, за прогул не уволили. Вечером поговорим.

Его не уволили. Какой смысл увольнять грузчика? Можно подумать, на эту работу кандидаты в очереди давятся. Из зарплаты вычли, это само собой, но рады были до смерти, что вообще вернулся. Чувствовал себя Суриков не очень хорошо, все-таки неделя вольной жизни сказалась, но доработал до закрытия магазина и поплелся домой, ожидая взбучки.

Взбучки как таковой, однако, не последовало. Но это было еще хуже. Софья молча подала ему ужин и села напротив за стол, подперев рукой подбородок.

— Значит, так, Сереженька, — сказала она почти ласково. — Есть вещи, которые можно делать только один раз в жизни. Можно, конечно, их совсем не делать, но это трудно. Мало кому удается. Все их делают. Вопрос в том, сколько раз. Так вот, те вещи, о которых я говорю, стыдно и глупо делать дважды, а то и трижды. Один раз — это нормально и простительно. Но не больше. Ты понимаешь, к чему я клоню?

— Нет пока, — пробормотал он с набитым

ртом. Обыкновенные макароны с сосисками казались ему самой чудесной едой на свете.

— Если ты ошибся в первый раз — ты просто слишком доверчивый или легкомысленный. Если во второй раз — ты дурак и подлец. Я тебе поверила — и ошиблась. Ты меня обманул. Но я тебя прощаю. Второй раз этого не будет. Ты, конечно, можешь обмануть меня во второй раз, да только я тебя больше прощать не буду. И помни, Сереженька: я до тебя как-то жила и не пропала. Да, мне трудно одной, я старая и слабая, но я жила и справлялась. Я без тебя не пропаду. Лучше одной жить, чем иметь под боком существо легкомысленное и ненадежное. А вот ты что без меня делать будешь? Опять по подвалам таскаться и на лавках валяться, когда сердце прихватит? Подумай об этом. И не заставляй меня больше к этому возвращаться.

Сергей молча жевал, не зная, что ответить. Дурак он, дурак, пожалел старуху, думал, как она там одна, беспомощная, без него? А она вон видишь какая, мол, и без тебя проживу, не очень-то ты мне нужен. Ну и пожалуйста, ну и не хотелось вовсе у нее жить, подумаешь, очень надо. Сейчас вот доест и уйдет. Совсем. Тоже мне, нашлась тут... Старая карга.

Он пытался разозлить себя, но ничего не получалось. А Бахметьева, помолчав, добавила:

— Это хорошо, что ты мне сразу не отвечаешь. Сразу-то никогда нельзя отвечать, не подумавши. Ты подумай над моими словами, взвесь все как следует. Может, тебе и вправду вольная жизнь слаще, так я тебе не навязываюсь, ты человек взрослый, сам решаешь, как тебе жить. У меня ты пожил, почитай, месяц, на воле тоже погулял, так что подумай, прикинь, сравни, где тебе лучше. Как решишь — так и будет. А мое слово твердое, я его не изменю: если проживем мы с тобой до моей смерти душа в душу, квартира твоя будет.

Сказала — и ушла в свою комнату. Суриков торопливо доел ужин, вымыл за собой посуду и тоже юркнул к себе. Быстро разделся и лег в постель, хотя было-то всего часов восемь вечера. Через стенку доносились приглушенные голоса — Бахметьева включила телевизор, она всегда смотрела информационные программы, да не одну, а несколько, на разных каналах. Этого Сергей тоже не понимал. Зачем? Дурь какая-то. Еще старуха питала пристрастие к криминальным новостям и исправно смотрела «УВД Санкт-Петербурга сообщает», «Дорожный патруль» и «Человек и закон». Тут Сережа был с ней солидарен и с удовольствием присоединялся. Про трупы и разборки ему и самому было интересно. Но новости... Еще чего.

Он закутался в одеяло и отвернулся к стенке. Сегодня он еще здесь переночует, а завтра... Что — завтра? Где он будет ночевать?

Ответ пришел легко и естественно. Как это где? Здесь, конечно. Чего думать-то? Бабка — золото, не орет, ничего не навязывает, денег за жилье не берет, да еще и готовит. Вольная жизнь, конечно, дело хорошее, да только накушался он ею досыта, с самого детства. Родителям вообще до него дела не было, он, считай, с самого рождения был предоставлен сам себе. В ясли и садик, конечно, еще водили, да и то не каждый день, на пятидневку спихнули, а как в первый класс пошел, так сразу стал сам себе хозяин. Мать с отцом ни разу про уроки не спросили, дневник не посмотрели, им по фигу было, как он учится, какие отметки получает. Даже на родительские собрания не ходили, так что и не слышали, как учителя его ругают. Всю жизнь делал только то, что хотел. Хватит, надоело. Права была старуха: хорошо, когда ты кому-то нужен и кому-то до тебя есть дело.

Он и не заметил, как заснул. А утром встал в семь часов, умылся, позавтракал, постучался в комнату к Софье.

— Софь-Ларионна, я пошел на работу. На обратном пути покупать чего надо?

— Мне ничего не надо, — раздался из-за двери ее голос. — А себе купи масла сливочного, оно у тебя уж кончилось. Там на один раз осталось, я тебе на ужин окорочок поджарю.

На работу Суриков отправился с легким сердцем. Простила его бабка Софья и мораль читать не будет. Ну и слава богу.

## Глава 4

В это декабрьское воскресное утро Настя проснулась ни свет ни заря и с удивлением прислушалась к себе. Ранний подъем всегда был для нее мучительным, особенно если за окном еще темно, а тут сама глаза открыла, хотя на часах еще только без четверти семь. Она полежала минут десять в размышлениях, то ли попытаться снова уснуть, то ли встать, и внезапно вспомнила, что вчера еще решила встретиться с Заточным. Потому и проснулась так рано.

Она осторожно выскользнула из-под одеяла, надеясь, что удастся не разбудить мужа, но номер не прошел. Алексей спал чутко и при первом же ее движении в сторону от теплой постели пробормотал:

— Подъем, что ли?

— Ты спи, солнышко, а я пойду с Иваном погуляю.

— Это дело хорошее, — одобрительно отозвался он, перевернулся на другой бок и укутался поплотнее одеялом. — Оденься тепло, а то замерзнешь. Вчера синоптики какие-то минусы обещали вместе с заморозками.

Через пять минут он уже крепко спал, сладко посапывая.

Настя пила кофе, поглядывая на часы, чтобы не опоздать. Накануне она так и не собралась позвонить Ивану Алексеевичу, чтобы договориться о встрече, а звонить ему сейчас не хотелось — она боялась опять разбудить Лешу. Надо выйти пораньше и постараться поймать генерала у входа в Измайловский парк. Если упустить момент, то потом Настя его в огромном парке не разыщет. «Какая же я все-таки балда, — корила она себя, торопливо отпивая горячий кофе, — ну почему я вчера не позвонила Ивану? Буду теперь нервничать».

Генерала она увидела издалека. Лицо в темноте было не различить, но Настя сразу узнала его сухощавую невысокую фигуру в куртке и без шапки. Генерал Заточный головных уборов не признавал, в крайнем случае мог при необходимости надеть форменную папаху.

— Анастасия? Вот не ждал. Вы в последнее время непростительно разленились, совсем перестали со мной гулять.

Он глядел на Настю насмешливо, но она видела, что Иван Алексеевич рад встрече.

— Я вам не помешаю? Хотела вчера позвонить, но пришла очень поздно, не решилась, — соврала Настя.

Они не спеша пошли по темным аллеям. Настя любила эти воскресные прогулки с генералом Заточным. Если бы еще не вставать так рано! Но Иван Алексеевич был непреклонен и ни за что не соглашался выходить в парк попозже. У него уже сложилась многолетняя привычка, и ломать ее ради ленивой Анастасии Каменской он не собирался.

— Ну, рассказывайте, — потребовал он. — Не просто же так вы вскочили в такую рань.

— Иван Алексеевич, вы помните давнее дело Сергея Бахметьева?

— Это икорно-бриллиантовый король? Начало семидесятых?

— Он самый.

— Не в деталях, но что-то помню. Его называли золотой рыбкой.

— Вот как? Почему?

— Ну как же, с одной стороны, икра и рыба, с другой — драгметаллы и камни. Вот и получилась золотая рыбка. Универсальный был тип. Откуда у вас интерес к нему?

— Убиты его вдова и ее второй муж.

— Ясно. И вы, конечно, решили, что это сведение каких-то старых счетов?

— Ну да. А что, неправдоподобно?

— Нет, почему же, очень может быть. И что вы хотите, чтобы я вам рассказал про Бахметьева?

— Все, что помните. Меня главным образом интересует, не могла ли его вдова тогда, двадцать лет назад, получить доступ к деньгам и ценностям, которые принадлежали не только Бахметьеву, но и еще кому-то. В то время разобраться с дележкой возможности не было, а сейчас она, вполне вероятно, появилась.

— Вполне вероятно, вполне вероятно... — задумчиво повторил Заточный. — Не думаю, что вы правы.

— Почему?

— Насколько мне известно, Бахметьев не был казначеем в своей компании. И никакой оперативной информации о присвоении им чужих денег у нас не было. Конечно, все может быть. Но я бы не советовал вам тратить время на эту версию. Она не кажется мне перспективной.

— А мне кажется, — упрямо возразила Настя. — И я хочу собрать информацию о людях, причастных в те времена к бизнесу Бахметьева, и выяснить, где они сейчас и чем занимаются.

— Ну что ж, — пожал плечами генерал, — вам виднее. Вы хотите, чтобы я вам помог?

— Хочу. Поможете?

— Конечно.

Заточный улыбнулся своей знаменитой солнечной улыбкой, обогревающей собеседника ласковым теплом.

— Вы же знаете, Анастасия, я не могу вам отказать даже в очевидных глупостях. Что конкретно вы хотите?

— Я хочу для начала познакомиться с теми, кто вел в семьдесят третьем году дело Бахметьева. Слушалось дело в Верховном суде, поскольку было межреспубликанским, крупным и расстрельным, но кем следствие велось? Москвичами или ленинградцами?

— Если я правильно помню, там была совместная бригада. Еще азербайджанских и казахстанских следователей привлекали. По делу проходили всего несколько человек, пять или шесть, больше никого зацепить не смогли. Бахметьев получил высшую меру как организатор, остальные отделались большими сроками.

— Может быть, мне именно с них начать? — спросила Настя. — Отсидели свое и пришли к вдове шефа требовать свою долю.

— Ох, как вам этого хочется! — рассмеялся Иван Алексеевич. — Готовы за уши притянуть любой факт. Анастасия, дорогая моя, это все были приличные люди. Под словом «приличные» я имею в виду, что это были не психопатизированные уркаганы, а люди с высшим образованием, занимавшие какие-то должности на государственной службе. Они умеют адаптироваться к условиям зоны, не грубят персоналу, добросовестно трудятся, находятся у администрации на хорошем счету и выходят из колонии, отбыв полсрока. Даже если все они получили по пятнадцать лет, то в восемьдесят первом — восемьдесят втором они уже вышли на свободу. А на самом деле это наверняка случилось раньше. Что же они, по-вашему, пятнадцать лет ждали, чтобы выяснить отношения с вдовой Бахметьева? Вот это уже совсем неправдоподобно.

— Вы правы. — Настя вздохнула, помолчала, потом упрямо добавила: — И все равно, мне кажется, что это убийство — оттуда, из семьдесят третьего года. И вы меня не расхолаживайте, Иван Алексеевич. Тем более что другие версии еще слабее.

— Неужто? Такая идеальная семья, что и убивать их не за что? — скептически осведомился генерал.

— Семья не идеальная, а самая обычная. Если бы была идеальная, то мне первой это показалось бы подозрительным. Сами знаете, за идеальным фасадом такое болото иногда скрывается, что смотреть страшно. А тут... И зацепиться не за что. Красивая холеная жена, красивый муж, никаких романов на стороне, никакого бизнеса, который мог бы показаться привлекательным для рэкетиров или провоцировал бы конфликты между партнерами и конкурентами. Можно, конечно, поискать в этом направлении, но у меня душа не лежит.

— Руководствуетесь интуицией? — вздернул брови Заточный. — На вас это не похоже, Анастасия.

— Да нет, Иван Алексеевич, интуиция здесь ни при чем. Просто мне хочется заниматься той версией, которая интереснее. Вот и придумываю себе оправдания.

— Что ж, по крайней мере честно. Ладно, вы меня уговорили. Я постараюсь свести вас с теми, кто может помнить дело Бахметьева более детально. Еще какие просьбы?

— Пока никаких. Потом, наверное, появятся. Не будете ругать?

— Буду, — снова мягко улыбнулся генерал. — Но вы же упрямая, все равно сделаете по-своему. Как Гордеев? Что-то я его давно не видел.

— Крутится. Все как обычно.

— На здоровье не жалуется?

— Нет.

Настя удивленно посмотрела на Заточного. С чего такой вопрос? Ее начальник полковник Гордеев жаловался на здоровье обычно только в двух случаях: когда ходил на работу с больным горлом и вынужден был общаться с подчиненными хриплым шепотом либо когда стыдил своих сотрудников и при этом называл себя «старым больным милиционером» и грозился бросить все и уйти на пенсию.

— Ему пятьдесят пять, — помолчав, сказал Заточный.

У Насти все похолодело внутри. Ну вот, началось. Она так и знала. Рано или поздно это должно было случиться. Полковники в пятьдесят пять лет должны уходить на пенсию, если им не продлевают срок службы. Но неужели

Гордееву срок не продлят? Быть не может. Таких профессионалов, как он, еще поискать.

— И... что? — робко спросила она, надеясь на то, что генерал все-таки имел в виду что-то другое.

— И ничего. Хватит ему ходить в полковниках. Такие люди, как Гордеев, должны уходить на пенсию генералами.

Настя с облегчением перевела дух, но тут же спохватилась. Как это — на пенсию генералом? На должности начальника отдела в МУРе Гордеев никогда генералом не станет. Значит, его будут двигать на вышестоящую должность. И к ним в отдел придет новый начальник. Что в лоб, что по лбу. Час от часу не легче.

— Уже и кандидат есть на его место?

— Есть. Трое. Будут выбирать.

— А Колобка куда?

— Будут думать. Такие, как он, всюду нужны. Может быть, в министерство заберут. А может быть, и на Петровке оставят на руководящей должности. В любом случае, Анастасия, вам следует готовиться к тому, что у вас будет новый начальник.

— Но я не хочу! — вырвалось у нее. — Мне не нужен другой начальник.

— Настенька, — ласково произнес Заточный, — вы сами понимаете, что это несерьезно.

— Понимаю, — удрученно сказала она. — Но как же мы без него?..

— Ну как-нибудь. Не вы первые, не вы последние расстаетесь с любимым начальником. Это неизбежно. Все любимые начальники рано или поздно уходят либо на повышение, либо на пенсию. Либо... совсем далеко. В безвестный край, откуда нет возврата. Так, кажется, у Шекспира? Не будьте эгоистичны. Гордеев заслужил право стать генералом.

Они гуляли по парку еще почти час, потом Заточный проводил Настю до метро.

— Не грустите, Анастасия, — сказал он, глядя на ее огорченное лицо, — это нормальное течение жизни. Может быть, новый начальник окажется вовсе не так уж плох. Вы к нему привыкнете.

Настя молча кивнула и торопливо вошла в вагон подошедшего поезда, пряча от генерала глаза, в которых стояли слезы.

* * *

Впервые за долгие годы Настя Каменская шла на работу с тяжелым сердцем. Известие о скором уходе Виктора Алексеевича Гордеева ошеломило ее. Как же так? Столько лет вместе — и вдруг вот так...

Гордеев учил ее, хвалил, наказывал, давал советы, прикрывал от гнева вышестоящего начальства. Заботился о ней. Шлифовал ее мастерство. Беспощадно ругал за глупые ошибки и тут же делал все, чтобы помочь. Предостерегал от неразумных шагов и никогда не читал нотаций, если она эти шаги все-таки делала. В особо сложные минуты называл «Стасенькой» и «деточкой». Десять лет вместе. И как же теперь?

Утренняя оперативка прошла как обычно. Сыщики отчитались по текущим делам, получили задания по новым преступлениям. Настя старалась сосредоточиться на происходящем, но ей это плохо удавалось. Она всматривалась в лицо Гордеева, пытаясь уловить в нем что-нибудь, что подтверждало бы слова Заточного. Может быть, слегка проглядывающее безразличие к делам подразделения, которое в скором времени перейдет в подчинение другого руководителя. Может быть, некоторую рассеянность и отстраненность, вызванную невольными мыслями о новом назначении. Но ничего этого Настя не видела. Полковник Гордеев по прозвищу Колобок был точно таким же, каким она привыкла видеть его каждый день. Собранным, сосредоточенным, суховатым, каким он всегда бывал, когда проводил совещания.

— Вопросы есть? Нет? Все свободны, кроме Каменской, — закончил он оперативку. — И еще раз напоминаю: финансисты предупредили, что зарплату за декабрь скорее всего выплатят не раньше конца января. Так что будьте бережливы и не говорите потом, что вы не знали.

Народ потянулся из кабинета. Лица у всех были унылые. Еще бы: если раньше зарплату не платили вовремя без всяких предупреждений и при этом задерживали месяца на полтора, то если уж предупредили, значит, точно не меньше чем на три месяца задержат. Вот радость-то!

Когда в кабинете не осталось никого, кроме Насти, Гордеев снял очки и с хрустом потянулся.

— Ты чего с похоронным видом сидишь? — спросил он весело. — Случилось что-нибудь?

Настя молча кивнула.

— Дома? — веселье тут же исчезло с его круглого лица. — С родителями?

— Нет, дома все в порядке. Виктор Алексеевич, я вчера разговаривала с Заточным.

— И что сказал Заточный? Что завтра настанет конец света?

— Для меня — да.

— Ах вот оно что, — протянул Гордеев. — Сдал, значит, меня Иван.

— Он не сдал, а просто предупредил меня. Виктор Алексеевич, неужели это правда?

— Ну, деточка, еще ничего не известно. Ты же знаешь, как в нашей системе бывает. Отменяются даже подписанные накануне приказы, а уж неподписанные... Вспомни, у нас даже был министр, который руководил министерством ровно один день. Назначили, а через день сняли. Так что не паникуй раньше времени.

— Не утешайте меня, Виктор Алексеевич. Если все дело в генеральском звании, то вы все равно уйдете. Не на эту должность, так на другую. Главное, есть мнение министерства по этому поводу, а раз оно есть, то вас все равно куда-нибудь назначат.

— И что теперь, будешь устраивать всемирную скорбь? Настасья, ты уже большая девочка и должна понимать...

— Да я понимаю, — перебила его Настя. — Я все понимаю. Но все равно не хочется, чтобы так было. Мы вас любим. Мы к вам привыкли. Понимаете, мы привыкли работать так, как вы нас учили, как требовали. А теперь придет кто-то другой, придется под него подлаживаться.

— А вы проявите здоровый коллективизм, — пошутил Гордеев. — Встаньте дружной стеной и заставьте его подлаживаться под тот стиль работы, к какому вы привыкли. Вас-то много, а он один. Да и Жерехов останется, он вас в обиду не даст.

Павел Васильевич Жерехов много лет был верным и надежным заместителем Гордеева. Вот если бы его поставили руководить отделом вместо Колобка, еще можно было бы вытерпеть.

— А нет шансов, что его назначат вместо вас? — с надеждой спросила Настя.

— Никаких, — тут же ответил полковник. — Замов довольно часто назначают из числа сотрудников, но начальников стараются ставить пришлых. Практика такая.

— А вдруг Павел Васильевич тоже уйдет? Может быть, новый начальник захочет взять своего зама.

— И это часто бывает, — согласился Гордеев. — Пойми, Настасья, мы с тобой ведем бессмысленный разговор, гадая на кофейной гуще. Я надеюсь, ты не поставила перед собой задачу уговорить меня остаться?

— Это бесполезно, правда?

— Правда. Мне не хочется оставлять эту работу и эту должность, и мне не хочется оставлять вас. Но есть и другие соображения. Я — мужчина. И я хочу стать генералом. И не считаю, что это стыдно и нуждается в оправданиях. Я поставил отдел на ноги, подобрал хороших ребят и научил вас работать. Дальше вы можете существовать без меня. Вы уже не маленькие. Будут приходить новые сотрудники — вы их обучите. Я в вас верю, после моего ухода вы не разбежитесь из отдела, как крысы с корабля. И потом, есть еще одно обстоятельство.

— Какое?

— Не следовало бы мне говорить тебе об этом, но ты человек надежный, болтать не будешь. Короче, мое место уже кому-то обещано. То есть я точно знаю кому. И мне ясно дали понять, что если мне не удастся уйти на повышение, то меня просто-напросто выпрут пинком под зад на пенсию. Возраст подошел. Так что сама видишь. Плачь — не плачь, гадай — не гадай, а результат один. Нам предстоит расстаться. Прими это как неизбежность и начни потихоньку привыкать.

— И... как скоро?

— В течение месяца, я думаю. Может, чуть больше. Все, Стасенька, хватит об этом. Я еще не ушел. А когда уйду — это не будет означать, что я для вас умер. Так что кончай лить слезы, иди работай.

Настя вернулась к себе. На душе у нее было муторно. И хотя она понимала, что рано или поздно это все равно должно было случиться, потому что Гордеев не может работать вечно, легче от этого не становилось.

* * *

Над Петербургом повисла сырая серая мгла. Зима никак не могла прорваться сквозь тяжелый теплый туман и давала о себе знать только резкими порывами ледяного ветра. Собираясь утром на работу, Татьяна мучительно соображала, как одеться, чтобы не замерзнуть на улице и не умереть от жары в метро.

— Надевай шубу, — настаивала Ирочка, которая всегда боялась, что Татьяна простудится и заболеет.

— С ума сошла! — отмахивалась Таня. — На улице плюс два, какая может быть шуба.

— Но ветер же холодный, у тебя пальто насквозь продувается.

Это было правдой. Крупная полная Татьяна носила свободные плащи и пальто, которые скрадывали, конечно, недостатки фигуры, но зато легко отдавали тепло при каждом порыве ветра. В выходные дни проблема решалась куда проще — брюки и теплая куртка. Но на работу в таком виде не пойдешь. Беда была еще и в том, что на службе Татьяна ходила исключительно в костюмах и блузках, а под костюмный пиджак свитер не наденешь. Придется идти в пальто с риском замерзнуть, но это все-таки лучше, чем париться в шубе.

Закрывая за Татьяной дверь, Ира дежурно спросила:

— А что с переводом? Ты не передумала?

— Я — нет. Но ты не вешай нос, мое начальство изо всех сил сует мне палки в колеса. Загрузили меня такими делами, что теперь несколько месяцев придется с ними разбираться. Пока не закончу — не отпустят.

Ирочкино выразительное лицо отражало забавную смесь разнонаправленных чувств. С одной стороны, хорошо, что перемены в жизни наступят еще не завтра. Но с другой, Татьяну жалко. Опять будет колотиться с утра до ночи, и в будни, и в выходные. А когда книги писать? Последнюю повесть она пишет уже четыре месяца, никак закончить не может.

Придя на работу, Татьяна первым делом включила обогреватель в кабинете, потому что и в самом деле ужасно замерзла. Чужие дела, тянущиеся бог знает сколько времени, давно начатые и брошенные кем-то на полдороге, вызывали в ней отвращение, смешанное с брезгливостью, как будто ее заставляли надеть платье, которое кто-то уже долго носил и не постирал, но она понимала, что выхода нет. Надо ими заниматься и довести до конца, иначе ее личное дело в Москву не отправят. Она достала из сейфа и просмотрела список дел, которые запланировала на сегодня. Допрос, очная ставка, еще два допроса, потом составление нескольких документов — постановления о производстве экспертиз и выемок. И под конец — очередной допрос Сурикова. Какой-то там хитрый фокус с этой генеральной доверенностью на имя Зои Николаевны Гольдич. Надо бы наконец разобраться, в чем там дело. Похоже, Суриков Зою Николаевну в глаза не видел. Или видел, но тогда получается, что к следователю приходила совсем другая женщина.

День, как обычно, пролетел быстро, и у Татьяны появилось привычное ощущение, что она опять ничего не успела. От кого-то она услышала недавно замечательную фразу: «У меня времени меньше, чем денег». Применительно к себе самой она могла бы сказать, что у нее дел больше, чем времени. Хотя, если заглянуть в составленный накануне список мероприятий, выходило, что она все сделала. Оставался только Суриков.

Сегодня Суриков выглядел не очень хорошо, лицо было бледным, губы и ногти на руках — синюшными.

— Кажется, вы не вполне здоровы, — сказала Татьяна, всматриваясь в его лицо. — Может быть, отложим допрос?

— Не стоит. Чего тянуть-то? Давайте спрашивайте. Я тоже хочу, чтобы все поскорее закончилось.

— В суд не терпится?

— Не терпится узнать, какая сволочь Софью убила, — холодно ответил Сергей.

Татьяна отметила, что дурашливой ухмылки на его лице не было, и это красноречивее всего свидетельствовало о том, что он плохо себя чувствует.

— Все-таки мне кажется, что вам нужен врач. Я не буду вас допрашивать, когда вы в таком состоянии.

— В каком я состоянии? — окрысился Суриков. — Чего вы придумываете? Месяц целый меня мурыжите, даже больше, только и ищете повод, чтобы дело не делать. У вас небось свидание назначено, торопитесь уйти поскорей, а на меня спихиваете, будто я больной.

— Сергей Леонидович, — изумленно протянула Татьяна, — возьмите себя в руки. Вы не в камере.

— Ладно, извините, — буркнул Суриков. — Я нормально себя чувствую. Не надо откладывать допрос.

— Ну что ж, — вздохнула Татьяна, — не надо — так не надо. Начнем. Когда и при каких обстоятельствах Софья Илларионовна Бахметьева приняла решение обменять свою квартиру?

— Ну... это... давно еще.

— Как давно? Год, два года назад? Три месяца?

— Ну, что-то в этом роде.

— В каком роде? Сергей Леонидович, я прошу вас быть точным.

— А зачем? Какое отношение обмен имеет к убийству?

— Вы уверены, что не имеет?

— Ну... это... вообще-то я не знаю. Может, и имеет.

Допрос длился около двух часов. Суриков «плавал», как плохой студент на экзамене, давая совершенно нелепые и не согласованные друг с другом ответы. Татьяна спокойно задавала вопрос за вопросом, ничем не выказывая ни удивления, ни сомнений, которые одолевали её чем дальше, тем больше. Она видела, что Сергей не особенно сообразителен, и боролась с соблазном подловить его, используя, выражаясь по-научному, дезинформацию, а проще говоря — банальный обман. Блеф, одним словом. Суриков бы попался. Но Татьяне казалось, что действовать таким образом в отношении недалекого, в общем-то, парня — это все равно что пьяного обокрасть. Хотя если вспомнить о том, что он скорее всего убийца, то, конечно, все средства хороши. И очень хочется поскорее закончить следствие и избавиться хотя бы от одного из нескольких дел, которые ей всучили «на доводку».

Наконец Татьяна решилась.

— Сергей Леонидович, я проверила журналы учета всех нотариальных контор города. И обнаружила странную вещь. Догадываетесь, какую?

Суриков еще больше побледнел, и Татьяна испугалась, что ему сейчас станет по-настоящему плохо.

— Может быть, прервем допрос и вызовем врача? — предложила она.

Сергей молча смотрел на нее, но ей казалось, что он ничего не видит, судорожно пытаясь сосредоточиться и привести мысли в порядок.

— Так как, Сергей Леонидович? Нужен врач? — повторила она.

— Нет, — процедил он сквозь зубы. — Будем разговаривать.

— Я обнаружила, что доверенность на имя Зои Николаевны Гольдич была выдана раньше, чем доверенность на ваше имя. Вы можете как-нибудь это пояснить?

Ловушка была сложной для такого нетренированного человека, как Суриков. Получалось, Татьяна спрашивала его о том, почему одна доверенность была выдана раньше, чем другая. Но кто сказал, что эта другая доверенность вообще была? Нигде в материалах дела нет ни одного упоминания о доверенности на имя Сергея Сурикова. Ни единого. Человек пособразительнее и поопытнее, конечно, не попался бы и ответил: «Позвольте, какая доверенность на мое имя? Я не понимаю, о чем вы говорите». Но Суриков услышал только то, что было произнесено, то есть вопрос о сроках: почему одно раньше, другое позже. У Татьяны не было времени проверять нотариальные конторы, она предполагала сделать это на следующей неделе, так что генеральная доверенность на имя Сергея Леонидовича Сурикова была плодом ее профессионального воображения. Вернее, плодом ее подозрений.

— Ну... это... Бахметьева боялась, что Зоя

что-нибудь не так сделает, и на всякий случай на меня тоже выписала...

— Спасибо. Теперь понятно. Хорошо, на сегодня достаточно, у вас усталый вид. Завтра продолжим.

Татьяна нажала кнопку и вызвала конвой. Сурикова увели.

Дрожащими руками она закрыла папку и обхватила голову руками. Вот, значит, как дело обстоит. Существовала только одна подлинная доверенность — на имя Сурикова. А доверенность на имя Гольдич — подделка, липа, как и паспорт неуловимой дамочки. «На всякий случай на меня тоже выписала». Как же! Где это видано, чтобы генеральная доверенность выдавалась двум разным людям. Наивный Суриков этих тонкостей, конечно, не знал. В любом случае действительным признается документ с более поздней датой составления. Так что либо Гольдич получала право совершать сделки и распоряжаться имуществом от имени Бахметьевой, либо Сергей. А не оба одновременно «на всякий случай».

И Суриков старательно скрывал от следствия факт существования доверенности на свое имя. Естественно, ведь это служит косвенной уликой, доказывающей, что у него был мотив убийства. Нет доверенности — нет и мотива. Но почему на первых допросах он молчал о Гольдич? Почему? Ведь наличие доверенности на имя Гольдич автоматически подтверждало отсутствие у него самого корыстного мотива.

Почему молчал? Потому что никакой доверенности на имя Гольдич в то время еще не существовало. Она появилась потом. В тот период, когда дело вел второй следователь. Совсем интересно!

Но если это действительно настолько интересно, насколько ей кажется, то она, похоже, влипла.

* * *

Эксперт Кузьмин смотрел на Татьяну с нескрываемым любопытством. Полчаса назад она принесла в лабораторию извлеченную из материалов уголовного дела доверенность на имя Гольдич и терпеливо ждала, когда эксперт выкроит минутку, чтобы проверить ее на специальном приборе хотя бы в первом приближении.

— Ну, Тань, ты и лохушка, — саркастически произнес Кузьмин, который был знаком с ней много лет и даже какое-то время крутил роман с Ирочкой, поэтому в выражениях не стеснялся. — Это ж такая липа, что невооруженным глазом видно.

— Откуда видно? Бланк поддельный?

— Да нет, бланк-то как раз настоящий. И печать подлинная.

— А что же тогда?

— Подпись доверителя. Ее делали старым дедовским способом, на оконном стекле. Подложили под доверенность документ, на котором стоит собственноручная подпись старушки Бахметьевой, прижали к стеклу и обвели. Все бы ничего, но прижимали сильно, и краска с того документа перешла на оборот доверенности. Иди сюда, на аппарате видно.

Татьяна наклонилась к окуляру. Да, действительно, на обороте явственно проступали следы типографской краски, расположенные по контуру подписи. Она вытащила доверенность и посмотрела повнимательнее. Нет, при обычном визуальном осмотре ничего не видно. Абсолютно ничего.

— Но бланк и печать точно настоящие? — на всякий случай переспросила она. — Ты уверен?

— Тань, ну я ж не мальчик. Собаку на этом деле съел. Не веришь — сама смотри. Вот эталонные образцы, подлинность которых гарантирована государством и руководством всех нотариальных контор города, а вот твой образец. Смотри на экран и сравнивай, если тебе моего слова недостаточно.

Через пятнадцать минут Татьяна Образцова вышла из лаборатории и поехала домой. Сердце у нее сжималось от дурных предчувствий. Завтра прямо с утра она свяжется с ребятами из уголовного розыска и попросит их покрутиться вокруг той нотариальной конторы, которая выдала доверенность. Если оправдаются самые худшие ее предположения, то встанет вопрос: а что ей со всем этим делать? Идти к руководству, после чего ежедневно ждать, что ее либо искалечат, либо вообще убьют? Или сделать вид, что ничего не заметила?

Как же поступить?

* * *

Сурикова привели обратно в камеру. Он здесь был старожилом, во всяком случае, сидел под арестом дольше остальных сокамерников, поэтому пользовался некоторым уважением. По крайней мере, никто не приставал к нему, если он был не в духе.

Сергей молча прошел к своему месту и лег, отвернувшись к стене. Нет, ничего у него не получается. На словах-то все выходило гладко, а вот поди ж ты... Они же обещали, что накладок не будет, мол, есть доверенность на имя совершенно другого человека, а с тебя все подозрения снимут, потому как бабку убить ты мог только за квартиру, больше ничего ценного у нее не было, а если ты квартиру не получаешь, то и убивать ее тебе незачем. Помаринуют еще пару недель да и отпустят. Он, дурак, поверил, тем более что следователь никаких вопросов про эту Гольдич не задавал. И про ту, другую, доверенность тоже ничего не спрашивал. Сергей и решил, что все обошлось. Ан нет.

Он никак не мог привести мысли в порядок. Чувствовал, что что-то пошло не так, что где-то его обманывают, но, как ни силился, не мог понять. Ума не хватает. Или мудрости? Ах, была бы рядом старая Софья, она бы все по полочкам разложила. Уж она-то точно знала, где нужен ум, а где — мудрость.

— У тебя когда день рождения? — как-то спросила Бахметьева.

— В апреле, восемнадцатого.

— И сколько тебе стукнет? Двадцать один?

— Угу, — промычал Сергей.

— Английское совершеннолетие, — произнесла старуха загадочные слова.

— Чего-чего?

— Да ничего. У нас совершеннолетие считается в восемнадцать лет, а в Англии — в двадцать один. Это правильно.

— Почему правильно? — не понял Суриков.

— Потому что в восемнадцать в голове еще одна дурь. А в двадцать один ты уже взрослый. По-настоящему взрослый. Ты по себе разве не чуешь?

— Не-а, — помотал головой Сергей. — А что я должен чуять?

Они сидели на кухне и пили чай. Был холодный февральский вечер с пронзительно воющим за окном ветром, но в квартире было тепло: Сергей заделал все щели и даже купил с зарплаты дешевенький электрический обогреватель.

Суриков уже привык к мудрености своей хозяйки и даже начал находить некоторое удовольствие в их длинных вечерних беседах, потому что стал понимать Бахметьеву гораздо лучше. Вольно или невольно он учился у нее, слушал ее рассказы и объяснения. Если ему удавалось уразуметь какую-то более или менее внятную мысль, он обязательно пересказывал ее на работе, и когда после этого ловил на себе бросаемые украдкой восхищенные взгляды продавщиц, все у него в душе начинало петь: «Ничего, что школу не окончил, не хуже вас, не дурее!» Особенно потрясло работников универсама авторитетно выданное им сообщение о том, что Жанну д'Арк не сожгли на костре, как было написано во всех учебниках. Даже в кино про это показывали.

— А вот и не сожгли, — уверенно говорил Сергей. — Она отсиделась у папы римского, пока скандал не стих, потом вышла замуж за дворянина и родила двоих детей.

Об этом накануне рассказывала ему Софья Илларионовна, и он тоже был потрясен. Уж про Жанну-то он слышал, ее еще в седьмом классе проходили, да и имя на слуху.

— И откуда ты все это знаешь? — удивлялись продавщицы. — Надо же, такой начитанный, а грузчиком работаешь. Тебе бы в институт поступить, а не ящики таскать.

В институт! В гробу он видал эти институты. Очень надо. Да у него и школьного аттестата нет. Нет, учеба — это не по нему. Хотя, конечно, узнавать что-то новое интересно, особенно когда бабка Софья рассказывает. Вроде как пелена какая-то в голове прорывается потихоньку и проступают четкие яркие картинки. Что у него в голове раньше-то было? Потусоваться, выпить, глотнуть, ширнуться, потрахаться, поесть, переночевать. Вот и все содержимое его нетренированных мозгов. А тут прямо словно бы движение в голове начинается, и бабкины рассказы становятся понятнее, и собственные мысли откуда-то стали рождаться. Чудеса, да и только. Потому и полюбил непутевый Сережа Суриков вечерние посиделки с Бахметьевой. Такие, как в этот длинный темный февральский вечер.

Что она там про совершеннолетие говорит? Он должен что-то чуять?

— Ты должен почувствовать, что стал другим, — пояснила она.

— Не, — он снова помотал головой, — ничего не чувствую. Мура все это. Какой был, такой и есть.

— Ошибаешься. — Старуха хитро улыбнулась и приняла свою любимую позу: подперла подбородок маленьким коричневым от пигментных пятен кулачком. — Ты другим стал, Сереженька, не сравнить с тем, каким ты был, когда пришел ко мне. Совсем другим.

— Да ну? — Суриков неподдельно удивился. Чего она выдумывает-то? Не изменился он ни капельки.

— Вот тебе и «да ну». До двадцати одного года тебе два месяца еще, а через два месяца ты и вовсе себя не узнаешь. Не зря считают, что двадцать один год — это рубеж. Ты, Сереженька, мудреть начал.

— Это как? Знаний, что ли, в голове прибавляется? Так это от вас все, от ваших рассказов. У меня в магазине все прямо тащатся, когда я им пересказываю, думают, это я такой начитанный. Но это они так думают, а вы-то знаете, что я книжек не читаю.

— Нет, Сереженька, не в знаниях дело. Хотя и в них тоже. Они у тебя в голове оседают, перевариваются, и от этого ты умнеешь. Но мудрость — это другое. Мудрость — она от сердца идет, от жизненного опыта. Вот ты всю жизнь, пока ко мне не попал, был одиночкой, а одиночки — они до самой смерти дураками остаются, мудрости в них не прибавляется ни на грамм. А все почему? Потому что не любят никого, не живут ни с кем и ни о ком не заботятся. Непонятно тебе? Тогда я попроще скажу. Если человек каждый день мускулы не тренирует, в нем силы не прибавится, верно ведь?

— Ну, — поддакнул Сергей. Пока было понятно, и согласился он со словами Софьи Илларионовны вполне искренне, не кривя душой. Действительно, откуда ж сила возьмется, если мускулы не тренировать? Пьяному ежику — и то ясно.

— Если душу не тренировать, в ней тоже силы не прибавится. Душа — она в точности как тело. Ты не думай, что душа — это выдумки, нет, Сереженька, душа — это психика плюс мозги, и то и другое нуждается в тренировках. Душа тренируется, когда работает, делает что-то, когда она действует. А когда душа действует? Когда любит, ненавидит, беспокоится, радуется, сердится. Теперь подумай: мать, у которой, к примеру, шестеро детей, постоянно в душевной работе находится. Во-первых, она всех их любит и о них беспокоится. Во-вторых, у каждого из шестерых свои беды, радости, неудачи, и она эти радости и беды переживает с каждым из своих детей. Они болеют — она с ума сходит. У них с любовными делами не складывается — она страдает. У нее душа натружена не меньше, чем руки, которыми она их кормит, одевает и обстирывает. И от этого она с годами становится мудрой, начинает точно чувствовать, что главное, а что не имеет значения, что можно простить, а что нельзя. Этому не научишься из книжек, хоть десять миллионов томов прочитай. Это рождается только из постоянной, каждодневной работы души, из опыта совместной жизни с кем-то, кто тебе небезразличен. А одиночка откуда может этому научиться, если рядом с ним никого нет? Ты был одиночкой, и твоя душа простаивала в бездействии. А теперь ты живешь со мной вдвоем, и она у тебя заработала. Ты даже сам не заметил, а она работает, и с каждым днем все сильнее и сильнее. Потому и мудрость начала появляться.

— Откуда вы знаете? — тупо спросил Суриков. Объяснение Бахметьевой он понял, оно было простым и доступным даже для него, но все равно выглядело неправдоподобным. С чего это она взяла, что у него душа заработала? Не чувствует он ничего такого. Врет все бабка, мозги ему канифолит.

— Откуда знаю? Да вот знаю. Вижу, что с работы ты приходишь как по часам, в полвосьмого, а то и раньше, если в магазин не заходишь. Что тебе рядом со мной, медом намазано? Я ж тебя не держу, сколько раз говорила: гуляй, встречайся с кем хочешь, хоть не ночуй здесь. А ты? Каждый божий день возвращаешься сразу, как работу закончишь. Значит, тянет тебя сюда. Тебе здесь тепло, тебя здесь ждут. Такие вещи не мозгами, а душой понимают. Значит, она у тебя работает, не стоит без дела. Или другой тебе пример приведу. Ты с прошлой недели начал мне с работы звонить. Я ж тебе не любимая девушка, чтобы тебе в радость было голос мой услышать. Это душа твоя стала требовать. Ей приятно, что есть кому позвонить, о ком побеспокоиться.

Надо же, как ловко бабка Софья все по полочкам разложила! Получается, что и в самом деле в нем душа проснулась.

— А вы сами мудрая? — невольно вырвалось у него.

Софья Илларионовна помолчала, потом ответила:

— Нет, сынок, я не мудрая. Я слишком давно живу одна, если и была во мне мудрость, так вся вышла. Вот будем жить с тобой вместе — глядишь, и я потихоньку мудреть начну.

## Глава 5

Утром, однако, ситуация предстала перед Татьяной в несколько ином свете. Она уже позавтракала и стояла перед зеркалом, нанося на лицо макияж, когда раздался телефонный звонок. Звонил ее сосед по служебному кабинету.

— Таня, у нас беда. Роман Панкратов умер.

— Как умер? Отчего?

— Погиб. Под машину попал. Я с утра на работе не буду, надо помочь семье со всякими формальностями, жену туда отправить, организовать перевозку тела. Прикрой меня, ладно? Шеф в курсе, но у меня куча народу на первую половину дня вызвана. Извинись перед ними и попроси всех прийти завтра в это же время.

Татьяна положила трубку и обессиленно присела на край дивана. Роман Панкратов. Тот самый следователь, который начинал дело об убийстве Бахметьевой, а потом уехал в отпуск. Должен был вернуться дней через десять. Уже не вернется. Попал под машину в том городе, в котором отдыхал.

Ужасно. Чудовищно. Или... закономерно? Если все происходило примерно так, как она себе представляет, то это должно было случиться. Ромка вернулся бы из отпуска, и Татьяна полезла бы к нему с расспросами о первом этапе расследования. И тогда все вылезло бы. Панкратов был обречен на смерть с того самого момента, когда дело передали ей. Даже не с этого момента, а чуть позже, когда она стала задавать вопросы второму следователю, Вальке Чудаеву.

Сколько стоит квартира Бахметьевой? Тысяч сорок—сорок пять. Долларов, конечно, не рублей же. Выходит, человеческая жизнь стоит дешевле.

Как бы там ни было, соваться к оперативникам со своими заданиями нельзя. Опасно. Группа большая, и как знать, кто именно в нее входит. Можно нарваться. Панкратов уже нарвался. Как же быть? Сделать вид, что ничего не заметила? Да, наверное, так и надо сделать.

спокойно раскрывать убийство Бахметьевой. Если оно совершено не из-за квартиры, то можно отделаться легким испугом. А если все-таки из-за нее? Черт, что же делать?

Она вспомнила недавно проведенные в Москве две недели. Своими глазами видела, как работают ребята из отдела по борьбе с тяжкими насильственными преступлениями. Смотрела на них — и завидовала. Они доверяют друг другу, не ждут каждую минуту какого-нибудь подвоха, какой-нибудь гадости от коллег. Это, конечно, заслуга их начальника, Гордеев сумел собрать и сколотить хорошую команду. А может ли она так же безоглядно доверять своим коллегам-следователям? У них ситуация на службе другая, без конца плетутся какие-то интриги, кто-то кого-то подставляет. Каждый день как по острию ножа ходишь, только и смотришь, как бы врагов не нажить и одновременно не перейти ту грань дружеского сближения, за которой начинаются панибратство и попытки сесть тебе на шею. Так и проходит рабочий день, наполовину в расследовании преступлений, наполовину в борьбе с окружающей действительностью.

— Таня, ты не опоздаешь? — озабоченно спросила Ирочка, заглядывая в комнату. — Чего ты сидишь?

— Так, ничего, задумалась.

Татьяна торопливо поднялась и снова пошла к зеркалу. Руки дрожали, и ей никак не удавалось провести тонкой кисточкой ровную черную «стрелку» на верхнем веке. Линия получалась бугристой и уходила куда-то не туда. Татьяна с досадой склонилась над раковиной, смыла уже нанесенный макияж и начала все сначала.

* * *

Генерал Заточный обещание выполнил, но результат Настю не порадовал. Следователи из Баку и Алма-Аты, которые когда-то вели дело Бахметьева и компании, были вне досягаемости, их даже разыскать не удалось. Московский следователь семь лет назад умер от инсульта. Оставался только один человек, который мог более или менее подробно рассказать о Бахметьеве. Жил он в Петербурге, находился на пенсии и пребывал, к счастью, в полном здравии.

— Не расстраивайтесь, Анастасия, — говорил ей Иван Алексеевич, — пусть только один, но зато для вас он самый ценный. Я лично с ним незнаком, но те, кто его знал, в один голос утверждают, что этот Макушкин славился страстью к ведению архивов. Он, как рассказывают, имел склонность к писательству и собирался, выйдя на покой, начать работать над мемуарами, потому и вел всяческие записи.

Значит, надо ехать в Питер. Еще вопрос, разрешит ли Гордеев. Но Гордеев, вопреки опасениям, разрешил, хотя и строго-настрого велел не тратить ни одного лишнего часа.

— Один день, — отрезал он. — Мне люди здесь нужны. Сядешь в поезд, ночь в дороге, день — там, ночью — обратно. Только так.

Можно было, конечно, успеть, но для этого необходимо предварительно разыскать Федора Николаевича Макушкина и договориться с ним о встрече на конкретный день, чтобы время зря не пропало. А то явится Настя в град Петров, а человека-то и нет, уехал куда-нибудь или болеет и принять ее не может. Придется обращаться к Татьяне, других подходящих знакомых у Насти в Петербурге не было.

Ей удалось застать жену Владислава Стасова на рабочем месте. Татьяна записала координаты бывшего следователя и пообещала вечером перезвонить.

\* \* \*

После звонка Насти Каменской в голове у Татьяны стал прорисовываться план. Конечно, он был более чем странным, но ничего лучше она придумать не смогла. Ей было очень страшно. Занимаясь протоколами, заключениями, постановлениями, очными ставками и прочими процессуальными действиями, она все время думала о том, как сделать дело и при этом унести ноги. Постепенно в систему вводных добавлялись все новые детали. Надо не только унести ноги, но и обезопасить Иру. Ведь Татьяна уедет, а Ирочка останется. Надо внести окончательную ясность в вопрос о том, кто же убил Софью Илларионовну Бахметьеву. Надо по возможности закончить расследование по тем делам, которые ей поручили доводить до ума. Надо собрать материал на тех, кто причастен к фиктивной доверенности. Надо... надо... надо... И все эти «надо» следовало увязать в какую-то стройную последовательность действий.

Выполнить просьбу Насти оказалось совсем несложно. Федор Николаевич Макушкин жил по своему прежнему адресу, никуда не уехал и не был болен и с удовольствием откликнулся на просьбу побеседовать с сотрудником уголовного розыска из Москвы.

— Конечно, — басил он в трубку, — пусть приезжает, буду рад поделиться старыми воспоминаниями. Приятно, когда кто-то интересуется архивами, это теперь редко случается.

— Когда к вам можно приехать? — спросила Татьяна.

— Да когда угодно. В любой день.

В любой день. Еще одна вводная в постепенно прорисовывающийся план. Только бы не ошибиться с Исаковым. На него вся надежда. Он мужик непростой, в характере у него дерьма полно, вон как обставил ее визит к Величко. Но склочный характер не означает непорядочности. Придется рискнуть. Другого выхода Татьяна не видела. Она была женщиной до мозга костей, мыслила по-женски, действовала по-женски. И боялась тоже чисто по-женски, иррационально, не чего-то конкретного, а всего вообще. Но именно поэтому и обладала способностью к необдуманному риску, полагаясь не на логику, а на интуицию.

Был уже седьмой час вечера, когда она пришла в кабинет к Исакову.

— Слушаю вас, Татьяна Григорьевна, — буркнул он, не поднимая головы от бумаг. — Надеюсь, вы пришли доложить, что закончили какие-то из порученных вам дел?

— Нет, Григорий Павлович, я пришла с более серьезным вопросом. Мне нужна ваша помощь. И ваша защита.

Исаков соизволил оторваться от писанины и с недовольным видом уставился на нее.

— В чем дело? Почему защита? Вас кто-то обижает?

— Хуже. У нас, Григорий Павлович, большая неприятность. Та группа, которая наживается на приватизации квартир, имеет в нашем подразделении своих людей.

Исаков аж задохнулся от негодования.

— Вы отдаете себе отчет? Насколько обоснованны ваши слова?

— Ни насколько. Это пока только подозрения. Я знаю, как их проверить и что нужно сделать. Но я боюсь. Вы видите, Григорий Павлович, я честна с вами. Я боюсь. Я женщина, и мне страшно. Поймите меня по-человечески, я недавно вышла замуж, я хочу родить ребенка, я собираюсь переехать к мужу в Москву. И я не хочу, чтобы со мной случилось то, что произошло с Панкратовым. Я не смогу себя защитить.

— При чем тут Панкратов? Татьяна Григорьевна, я отказываюсь вас понимать.

— Но вы готовы меня выслушать?

— Да, пожалуйста. Я внимательно вас слушаю. Только имейте в виду, если вы затеяли какой-то обман с целью выцарапать свое личное дело и быстренько улизнуть в Москву, это вам не удастся.

Татьяна говорила долго. Она готовилась к этому разговору полдня, мысленно составляя фразы четкие, лаконичные и убедительные.

— Когда дело об убийстве Бахметьевой вел Панкратов, в нем были сведения о том, что генеральная доверенность выдана Сурикову. Когда дело попало к следующему следователю, к Чудаеву, эти материалы из дела исчезли. Протоколы оказались переписанными, подписи подделанными, а доверенность изъята. И появилась совсем другая доверенность на имя совсем другого человека. Этот факт определенным образом оправдывает Сурикова, ибо снимается мотив корыстной заинтересованности в смерти Бахметьевой. Кто совершил этот подлог? С какой целью? С целью вытащить Сурикова? Или с целью быстро провернуть обмен и продажу квартиры? Сам факт говорит о двух вещах. Во-первых, что в этом замешаны наши сотрудники, и скорее всего не только наши. И во-вторых, о том, что система отработана до мелочей и срабатывает мгновенно. Они очень быстро смогли доверенность изготовить, значит, есть свои нотариусы. Эти нотариусы ставят подпись и печать на документ, который не подписан лично доверителем в их присутствии. Есть и свои люди, которые моментально оформляют договоры мены или купли-продажи. Даже по явно фальшивым документам. Короче, группа действительно большая. И к ней имеет непосредственное отношение сам следователь Чудаев. И еще кто-то из наших.

— Почему? Почему вы решили, что есть кто-то еще?

— Здравый смысл подсказывает. Вся эта афера не могла быть проделана без ведома и согласия Сурикова, верно ведь? Но кто-то должен был с ним поговорить и все объяснить. Предупредить про другую доверенность, придумать историю с обменом квартиры. Это не мог быть Чудаев. Поймите, Григорий Павлович, следователь не может вести такие разговоры с подследственным, это опасно. Суриков знает его имя и знает, что он следователь. А ну как что случится или сорвется? С Суриковым должны были разговаривать люди, которых он не знает, но которым он бы поверил. Люди в форме. И не в присутствии следователя. Например, сотрудники следственного изолятора. Или разыскники. А следователь, произведя все необходимые манипуляции с материалами дела, потихоньку довел бы расследование до конца, и на этом точка.

— Выходит, я сам ему помешал, когда передал дело вам? — неожиданно спросил Исаков.

«Выходит, — мысленно ответила Татьяна. — Я все время об этом думала. Если бы вы, Григорий Павлович, были в этом замешаны, вы бы ни за что не передали мне дело Бахметьевой. Вы бы оставили его у Чудаева и терпеливо ждали, когда он докажет виновность Сурикова. Или его невиновность. Других-то подозреваемых все равно нет. А вы отдали дело мне, потому что Чудаев не справлялся и вообще он загружен другими делами, более сложными, неотложными и важными. Вы поступили как нормальный руководитель, а не как участник преступной группы, заинтересованный в сокрытии подлогов и фальсификации материалов дела. Иначе вы бы никогда дело у Чудаева не забрали».

— Да, Татьяна Григорьевна, подставил я вас, — грустно усмехнулся Исаков. — Если все окажется так, как вы мне тут рассказали, то получается, я беззащитную женщину в такое нехорошее дело втянул. Вы правы, ни к чему вам с этим возиться.

Сердце у Татьяны гулко заколотилось. Неужели она ошиблась? Что означают эти слова? Ни к чему копаться глубоко, совать свой нос куда не следует?

— Надо вас вытаскивать, — продолжал между тем Исаков. — Но к обоюдной пользе. Вы, Татьяна Григорьевна, хороший следователь. Я могу пойти вам навстречу и протянуть руку помощи. А вы со мной за это расплатитесь.

— Как? — спросила она, еле шевеля пересохшими губами.

«Взятку вымогает, сволочь. Или в койку тянуть собрался? Господи, ну и в гадюшнике я работаю! И чего я, дура, упиралась, давно надо было в Москву переезжать, Стасов целый год меня уговаривал».

— Вы закончите дело об убийстве Бахметьевой. И вытрясете из этого мальчишки Сурикова все, что касается подложных документов. Кто, когда и о чем с ним разговаривал и что ему пообещали? Что произошло с квартирой Бахметьевой? Одним словом, вы должны узнать все, что можно.

— Но я же сказала вам, Григорий Павлович, — в отчаянии произнесла Татьяна, — я боюсь. Мне страшно. Вы хотите, чтобы со мной произошло то же, что с Романом? Я уже пыталась поговорить с Чудаевым, выяснить у него насчет таинственной и неуловимой Гольдич. Правда, больше я к этому разговору не возвращалась, но он может забеспокоиться. Я уже прокололась, выдала свои подозрения, понимаете? Я просто могу не дожить до завтра.

— Доживете. Так быстро это не делается, поверьте моему опыту. И, со своей стороны, поторопитесь. Не тяните. Чем быстрей сделаете — тем быстрей уедете.

— Хорошо, — решительно сказала она. — Тогда вы должны согласиться с моим предложением. Запрос на мое личное дело привезут нарочным в ближайшие же дни. Я отдам запрос вам и взамен получу на руки свое личное дело. Пусть его запечатают, как положено. Как только я получу от Сурикова все необходимые показания, я в этот же день уеду. И больше здесь не появлюсь. Когда придет запрос о моем откомандировании, вы подпишете приказ. И без всяких обходных листков и прочих глупостей. А вещевой и денежный аттестаты отправите в Москву почтой. Идет?

Исаков с интересом поглядел на нее.

— А вы не такая уж беззащитная, какой хотите показаться. И жесткости в голосе более чем достаточно. Хорошо, сделаем так, как вы предлагаете. Приносите запрос, получите дело на руки. Но не вздумайте хитрить, Татьяна Григорьевна.

— Что вы имеете в виду?

— А то, что вы могли всю эту историю выдумать, чтобы разжалобить меня и разрешить вам уехать как можно раньше. Вам поручено следствие по ряду дел, и я вполне допускаю, что вы можете просто не хотеть ими заниматься, поэтому пытаетесь меня обмануть. Прежде чем вы сядете в поезд или в самолет, я хочу сам посмотреть, какие сведения вам удастся получить от Сурикова или собрать иным способом. Только после этого вы сможете уехать. Поэтому я вношу коррективы в ваш блестящий план. Личное дело я сам заберу из отдела кадров, и оно будет лежать у меня. И если вы не принесете мне доказательства, вы его не получите. Ну как? Устраивает?

— Вероятно, у меня нет иного выхода, кроме как согласиться.

— Конечно, нет. Все, Татьяна Григорьевна, будем считать, что мы договорились. Я вас больше не задерживаю.

Татьяна вышла из кабинета Исакова с пылающими щеками. Дорого ей дался этот разговор. Ничего, сейчас наденет свое продуваемое насквозь пальто, выйдет на улицу и немного остынет. Вредный мужик этот Исаков, но, в сущности, не такой уж плохой.

Сложив бумаги в сейф и обмотав вокруг

шеи яркий шелковый платок, Татьяна вдруг вспомнила, что не позвонила своему врачу. А ведь еще вчера должна была. Вот растяпа!

Она торопливо набрала телефонный номер. Конечно, на работе врача уже не было, почти половина восьмого. Татьяна позвонила ей домой.

— Анна Степановна, это Образцова. Простите, что дома беспокою, замоталась, не успела застать вас на работе.

— Ничего, Танечка, — добродушно откликнулась Анна Степановна, которая знала Татьяну много лет, еще со времен ее первого замужества. — Срок у тебя небольшой, шесть недель, так что никакой спешки, если надумаешь.

— Значит, все-таки срок? — пробормотала Татьяна.

— Ну я ж тебе сразу сказала, а ты не верила, настаивала, чтобы анализы сделать. У меня глаз — алмаз.

— Ладно, Анна Степановна, я подумаю.

— Подумай, подумай, — согласилась врач. — Время есть пока.

Татьяна снова села за стол и принялась набирать длинный междугородный номер. Она звонила мужу.

— Стасов, ты можешь срочно получить запрос на мое личное дело?

— Могу попробовать. А как срочно?

— Вчера.

162

— Не понял...

— Шучу. Дима, — Татьяна была единственной из всех знакомых Владислава Стасова, кто называл его Димой, а не Владиком и не Славиком, — это нужно сделать очень быстро. Желательно завтра.

— Танька, я не верю своим ушам! Неужели твой изверг-начальник согласился отдать дело прямо сейчас? Ты же мне говорила, что он тебя привязал как минимум на месяц.

— Обстоятельства изменились. Димочка, позвони Насте, скажи ей, что я обо всем договорилась и она может приезжать в любой день. Макушкин ее примет. Это что касается ее просьбы. Теперь что касается моей просьбы. Возьми запрос и отдай Насте, она мне его привезет. Дальше. Желательно, чтобы она приехала как можно быстрее, оптимально — дня через два. Не позднее. На двое суток. Ты понял? На двое суток. Мне нужна ее помощь, но мне неловко ее просить. Все-таки мы с ней не так близко знакомы. Я очень рассчитываю на то, что к твоей просьбе она прислушается.

— Таня, я не понимаю, что происходит. Какие дела у тебя с Аськой за моей спиной? Что у тебя случилось? Почему такая срочность?

— Я все потом объясню. Никакой катастрофы, честное слово, просто появилась возможность сорваться отсюда побыстрее, жаль будет, если не получится.

— И все?

— И все.

— Не врешь? Голос у тебя какой-то...

— Голос — это по другой части. Дима, я беременна. Только что с врачом разговаривала.

— Танюха... — охнул Стасов. — Миленькая... Как хорошо-то!

— Не знаю, может быть, — быстро перебила его Татьяна. — Я пока не решила. Ты тоже подумай. Позвони мне вечером, скажи, до чего договорился с Настей. Заодно и обсудим твои соображения по поводу аборта.

— Не по поводу аборта, а по поводу ребенка. Тут и обсуждать нечего.

— Хорошо, вечером поговорим. Все, Дима, целую тебя.

— Таня, подожди...

— Вечером, Димуля, вечером. Мне нужно бежать.

На самом деле никуда бежать ей не нужно. Просто стало трудно справляться с нервами, а ей так не хотелось, чтобы муж почувствовал ее тревогу. Да что там тревогу — откровенный страх. Растерянность.

Она еще какое-то время посидела в кабинете, бессмысленно перекладывая ручки и карандаши, потом все-таки заставила себя надеть пальто и пойти домой.

Ирочка встретила ее радостным щебетанием.

— Тань, я прямо дождаться не могла, когда

ты придешь! Раздевайся скорее, будем ужинать, и я тебе все расскажу.

Она сгорала от нетерпения, и Татьяна изо всех сил старалась не показать, насколько тяжко у нее на сердце и как ей не хочется сейчас выслушивать Ирочкины истории. Она пыталась оттянуть момент, когда нужно будет сесть за стол и начать разговаривать со свояченицей. Сняв костюм, она, вместо того чтобы небрежно бросить его на кресло, как обычно, стала старательно развешивать в шкафу на плечиках пиджак, блузку и юбку. Потом подошла к туалетному столику и принялась, глядя в зеркало, снимать тампоном, смоченным в косметическом молочке, макияж.

— Ну Таня! — раздался из кухни звонкий Ирочкин голосок. — Все же остывает! Ты что там, уснула?

— Иду!

Кулинаркой Ирочка Милованова была знатной, в этом ей не откажешь. Она обожала готовить всякую экзотику, вычитывая рецепты в кулинарных книгах. Правда, рецепты служили ей только как бы канвой, общей идеей, а делала она все равно по-своему. Иногда получалось просто ужасно, потому что существуют блюда, способ приготовления которых оттачивался десятилетиями и которые не терпели никакой самодеятельности, но Ирочка никогда не унывала. Она весело съедала неудобоваримый результат своих экспериментов и даже не морщилась, после чего начинала все по новой. Сегодня на ужин Татьяну ожидала севрюга с каким-то необыкновенно красочным гарниром. Кроме того, по кухне витал подозрительный запах знаменитых Ирочкиных пирожков с капустой.

— Опять пироги? — неодобрительно спросила Татьяна, усаживаясь за стол. — Я же тебя просила.

— Да ладно, — весело улыбнулась Ира. — Не каждый же день.

— Я скоро в дверь не пролезу из-за твоих пирожков. Ты же знаешь, у меня силы воли не хватает их не есть.

— Не сердись, Танюшечка, ты все равно скоро уедешь и больше не будешь есть мои пирожки.

— Не надейся, не отделаешься от меня так просто.

Ира медленно повернулась к ней, оставив в покое что-то шипящее и вкусно пахнущее на сковородке, над чем она колдовала, прежде чем подавать на стол.

— Что ты сказала?

— Сядь, Ира. Надо поговорить.

— Что-нибудь случилось? — переполошилась Ирочка.

— Да. Да не бледней ты, не смертельно. Просто немного неожиданно.

Татьяна чувствовала себя омерзительно.

Мало того, что в последние дни она терзается чувством вины за то, как ей предстояло поступить с преданной и любящей родственницей. Мало того, что Ирка, пойдя ей навстречу и занимаясь устройством Татьяниной жизни и быта, осталась без профессии, без собственной семьи и практически без друзей. Так теперь еще и это...

— Ира, как ты смотришь на то, чтобы уехать вместе со мной?

— Куда? В Москву?

— Нет, в Зажопинские Выселки. Конечно, в Москву, куда же еще.

— Но почему... Таня, что случилось? Немедленно объясни мне, что происходит.

Татьяна удрученно молчала. Как сказать ей, что оставаться в Питере опасно? Может, и не опасно, но рисковать нельзя. И еще одно обстоятельство появилось, тоже, между прочим, немаловажное.

— Ирочка, я очень виновата перед тобой, я испортила тебе жизнь, ты потратила на меня свои лучшие годы, и теперь...

— Прекрати! Ты это сто раз говорила. И столько же раз я тебе объясняла, что это полная чушь. Не смей так думать.

— Я хочу, чтобы ты уехала вместе со мной. У меня будет ребенок, и мне одной не справиться. Но я не имею права просить тебя об этом, потому что сейчас ты еще можешь найти и работу, и мужа, а через несколько лет будет совсем поздно.

— Тань... Ой, Тань...

Глаза у Ирочки стали такими огромными, что, казалось, занимали пол-лица.

— Ты что, беременна?

— Угу.

— И сколько уже?

— Шесть недель. Сегодня с Анной разговаривала. Ира, если ты со мной не поедешь, я сделаю аборт, мне одной не справиться. Я уже не в том возрасте, чтобы выдерживать такие нагрузки. Первые роды в тридцать шесть лет — не шуточки. Стасов мне не помощник, он целыми днями работает, крутится, как белка в колесе, деньги зарабатывает.

— Ты что, обалдела? Какой аборт? Рожать надо, и нечего тут думать. Конечно, я поеду с тобой, какой может быть разговор.

— Подумай, Ира, это все очень непросто с точки зрения последствий. Ты опять впряжешься в домашнее хозяйство. Подумай о себе.

— Да ладно тебе!

Ирочка звонко расхохоталась.

— Я уже со всеми питерскими женихами перезнакомилась, никого среди них подходящего нет. Может, в столице найдется. В крайнем случае рожу без мужа, буду двоих растить, твоего и своего. А что? В организационном плане идея богатая.

«Господи, как у нее все просто, — с грустью думала Татьяна. — Мне в ее возрасте, наверное, тоже казалось, что впереди еще такая длинная жизнь и можно все успеть. А сегодня утром, когда узнала о гибели Ромки Панкратова, я поняла, что моя жизнь может оказаться очень короткой. Очень. Даже страшно, насколько короткой может оказаться моя жизнь. И Ирочкина тоже».

— На днях сюда приедет одна моя знакомая из Москвы, она работает в уголовном розыске. И если ничего не сорвется, мы отсюда уедем все вместе. Хорошо?

— Как это? — растерялась Ира. — Ты что, Таня? А собраться?

— Можно подумать, у нас тут бог знает сколько вещей. Собери только одежду на зимний сезон и все самое необходимое. Потом приедет Стасов и отправит контейнер с остальным барахлом.

— Ну ничего себе! Нет, так не годится. Ты поезжай, а я все как следует соберу, уложу, отправлю контейнер, а потом приеду.

— Ира!

Татьяна почти никогда не повышала голос на родственницу, они много лет жили душа в душу. Ирочка сразу поняла, что дело серьезное.

— Ты сделаешь так, как я прошу, — жестко сказала Татьяна. — Моя знакомая остановится у нас и поможет тебе сложить вещи. Мы уедем все вместе. Это не обсуждается.

Ира отвернулась и тихо заплакала. Татьяна почувствовала себя совсем скверно. Зачем она обижает ее? Разве Ирка в чем-то виновата? Никуда не годится, совсем самообладание потеряла, кричит. Черт знает что.

— Ирочка, ну что ты, миленькая, — ласково заговорила она, — не плачь, пожалуйста. Я не хотела тебя обидеть. Просто устала, день был тяжелый, вот и не сдержалась.

Ира разрыдалась в голос. Глядя на ее трясущиеся плечи, Татьяна думала о том, что пусть лучше она плачет от обиды на нее, чем от страха за свою жизнь.

Поздно вечером позвонил Стасов. Ему удалось договориться в следственном комитете, что завтра подготовят запрос на личное дело старшего следователя Образцовой.

— А что Настя? Ты с ней говорил?

— Она передает тебе большое спасибо и выезжает завтра вечерней лошадью.

— Билет уже есть?

— Нет пока, она ждала твоего звонка. Завтра с утра поедет на вокзал. После обеда я с ней встречусь, передам запрос. Кстати, она просила узнать, не можешь ли ты помочь ей с ведомственной гостиницей.

— Не нужно, она остановится у меня. Дима, попроси ее позвонить мне, когда она возьмет билет. Пусть скажет номер поезда и вагона. Ира ее встретит на машине и отвезет, куда нужно.

— Ладно, скажу. По-моему, ты увиливаешь от обсуждения главного вопроса.

— Я не увиливаю. Ты же сам сказал, что обсуждать нечего.

— И ты с этим согласна?

— Вполне. И даже попросила Ирочку уехать вместе со мной в Москву.

— Не можешь без няньки? — насмешливо поддел ее Стасов.

— Не могу. Привыкла. И она ко мне привыкла, никак не хочет смириться с моим отъездом. Вот я и подумала... Нашу питерскую квартиру можно продать и купить на эти деньги что-то очень пристойное в Москве. Ты не бойся, мы в твою однокомнатную всем колхозом не свалимся. Дима...

— Да?

— Я тебя очень люблю.

— Этого мало, — серьезно ответил Стасов. — Ты должна любить меня так же сильно, как я тебя, а не просто «очень». Я, например, тебя обожаю, мама Таня. И передай привет тете Ире.

После разговора с мужем Татьяне стало немного легче. Хватит переживать и нервничать, надо собраться и продумать завтрашний день по минутам, по метрам и по словам. Собрать как можно больше сведений, при этом постараться никому не мозолить глаза и не вызывать подозрений. Конечно, лучше было бы это делать оперативникам, у них и опыта побольше, и возможностей. Но оперативников привлекать нельзя, можно попасть как раз на того, кто заинтересован. А если и не заинтересован, то может рассказать кому-то, информация уйдет, и пиши пропало. Главное — Чудаев. Он единственный, с кем Татьяна делилась сомнениями по поводу Гольдич, и, значит, он единственный, кто может что-то заподозрить. Пока единственный. И надо сделать все возможное, чтобы болото не всколыхнулось. Именно поэтому она и не допрашивала сегодня Сурикова. Кому интересно — пусть знают, что у нее и других забот по горло. А Суриков ей вовсе не нужен.

\* \* \*

Сегодня его на допрос не вызывали. Почему? Странная какая-то эта тетка-следователь. Спросила вчера про доверенность, в протокол записала и отпустила его, как будто ничего особенного и не произошло. А может, и правда ничего особенного? Может, зря он боится?

Нет, все-таки что-то тут не так. Ведь смысл был в том, чтобы про эту доверенность никто не узнал, тогда получится, что он не убивал

Софью. Зачем убивать, если он все равно квартиру не получит?

А как же... Ведь если следовательша узнала про доверенность, значит, теперь ему убийство Софьи точно припаяют. Как же так? Ничего не понятно.

Ах, была бы рядом бабка Софья! Не хватает у него мозгов разобраться, а она бы быстро все просекла. У нее не только ум, у нее и чутье было — будь здоров!

...Несмотря на слабое сердце, во всем остальном Сергей Суриков был нормальным здоровым молодым мужчиной. И природа, как водится, стала брать свое. Но заводить романы ему было не с кем, на девушек нужны деньги, да и одеваться надо поприличнее, а откуда приличные шмотки взять, если живет он на зарплату грузчика? Спасибо Софье, она давно к экономии приучена, четверть века на пенсию живет, так что из тех продуктов, которые он покупает, кормит его от пуза. А насчет шмоток и разговора быть не может.

Конечно, можно найти какую-нибудь шалаву, вроде тех, с которыми раньше имел дело, но они Сурикову уже поперек горла стояли. Грязные, пьяные, глупо хихикающие девки, готовые отдаться кому угодно за горсть таблеток или ампулу. Сейчас он уже не понимал, как ему это могло нравиться.

Но если шалавы отпадали, то оставались

только женщины, работающие в универсаме. Их было много, всех возрастов и типов внешности. И с ними можно было поладить, не прилагая особых усилий и не тратя денег на ухаживания. Почти у всех были мужья или любовники, и почти все были не прочь быстренько заняться любовью, не выходя за пределы универсама и не пробуждая ревность своих мужчин поздними возвращениями или немотивированными отлучками. Короче, все складывалось к обоюдному удовольствию. Сережа наладил отношения с кассиршей Галочкой, которая два раза в неделю закрывала кассу на глазах у негодующих покупателей и бегала на двадцать минут к нему в подсобку.

Софья Илларионовна тоже, видно, понимала, что секс — не последнее дело в жизни мужчины, и несколько раз высказывала беспокойство по поводу того, что у Сергея нет девушки.

— Да что вы так печетесь об этом? — удивлялся Суриков. — Вы радоваться должны, что я не шляюсь, а дома сижу.

— Много мне радости-то с твоего сидения, — фыркнула Бахметьева. — Самое опасное и есть в том, что ты при мне сидишь, вместо того чтобы с девушками гулять. Человек должен вести нормальную жизнь, а если он себя в чем-то насильно ограничивает и терпит, добром это не кончается. Или тебе не хочется?

Вопрос был, прямо скажем, бестактным и

задан в лоб. Сергей оторопел от неожиданности и с перепугу ответил также в лоб:

— Хочется.

— Ну вот, видишь, а если терпишь, то и сорваться можешь, глупостей наделать. Знаешь, от чего в войну иногда умирали? Не от голода, а от того, что разум теряли, когда еду видели. Так наголодаются, бывало, что остановиться не могут, едят и едят, было бы что. И умирали от заворота кишок. Так и ты, терпишь, терпишь, держишь себя на голодном пайке, а потом подвернется случай — и забудешь про все, закрутит тебя баба, подомнет под себя, опять в дурную компанию попадешь. А я тебя обратно не приму, я же предупреждала, что второго раза не будет. Или, что еще хуже, за изнасилование сядешь. Бабы — они знаешь какие бывают? Не приведи господь. Не понравится ей, как ты себя ведешь, она и пойдет в милицию на тебя жалобу катать, дескать, ты ее силой заставил. А в милиции-то ей поверят, а не тебе. И пропадешь ни за что. Ты послушайся моего совета, найди себе зазнобу. Тебе же самому легче жить станет. Только сюда ее не приводи, мы уговаривались, чтобы здесь посторонних не было.

Когда дело с кассиршей Галочкой сладилось, старуха Бахметьева узнала об этом раньше, чем Сергей переступил порог квартиры. То ли чутье у нее было, то ли сытость кошачья у него на лице была написана, но Софья Илларионовна улыбнулась ободряюще.

— Вижу, послушался моего совета. Молодец, Сереженька, правильно жизнь свою организуешь. Чужая или из своих?

И опять он настолько растерялся от ее проницательности и прямоты, что ответил сразу и не задумываясь:

— Наша, из магазина. Кассирша.

— Вот и славно, — обрадовалась Софья. — Очень я за тебя рада. Молодая?

— Тридцать два.

— Замужем?

— Да.

— И дети есть?

— Есть, мальчик, в первый класс ходит.

— Ну и слава богу, — закивала старуха, словно для нее было принципиально важно, какую именно женщину выбрал Сергей для решения своих проблем, и ответы его были такими, как ей нравится.

И в этот момент произошло нечто такое, что привело самого Сергея в состояние полной растерянности. Он шагнул навстречу Софье, наклонился, крепко обнял ее и расцеловал в теплые морщинистые щеки. В горле у него стоял ком, который он никак не мог сглотнуть, на глаза навернулись предательские слезы.

— Спасибо вам, Софь-Ларионна. Спасибо, — бормотал он, уткнувшись лицом в ее реденькие волосы.

— За что же, сынок? — тихо спросила она, и голос ее был строг и серьезен.

— За все. За то, что вы есть. Вы мне как мать, даже больше, чем мать. Мать никогда меня ни о чем не спрашивала, ей неинтересно было. Я никогда от вас не уйду.

Бахметьева осторожно высвободилась из его рук, отступила на шаг и внимательно посмотрела в лицо Сергею. Лицо ее медленно озарилось улыбкой.

— Большой, — сказала она, — совсем большой стал. Взрослый. Любить научился.

— Да что вы, я ее совсем не люблю, — начал торопливо оправдываться Сергей. — Это так только, для здоровья, как вы советовали.

— А я не про нее говорю. Пойдем ужинать, Сереженька, я как чувствовала, пирог яблочный испекла.

Он тогда не понял, про какую любовь говорила Бахметьева. И вообще не понимал, что это на него нашло, с чего вдруг он полез к бабке Софье обниматься. Прошло еще несколько месяцев, прежде чем Сергей Суриков осознал, что Софья Илларионовна Бахметьева — единственный человек на свете, которого он любит.

Да разве он мог ее убить? Он молился на нее. Он бы сам умер с радостью, если бы ей это было нужно.

## Глава 6

Ночь в вагоне Настя провела почти без сна, о чем очень жалела. Вагон был чистым и теплым, она уютно устроилась на верхней полке и с удовольствием предвкушала несколько часов крепкого сна, но надеждам ее не суждено было сбыться. Соседями по купе оказались супруги с маленьким ребенком, и ребенок этот никак не желал оценить всю прелесть спокойной ночи в поезде. Он постоянно хотел то пить, то писать, то конфетку, то сказку, то к маме (если лежал на полке с отцом), то, наоборот, к папе. Кроме того, он не любил спать в темноте, и Насте пришлось сначала выслушать длинные и смущенные объяснения его родителей, а потом всю ночь терпеть бьющий в глаза верхний свет.

Зато утром ее порадовало сразу несколько обстоятельств. Во-первых, проводница не стала будить пассажиров за час до прибытия с истошным криком: «Сдавайте белье!» — как это делалось раньше. Во-вторых, на завтрак давали не только чай, но и кофе, а также предлагали бутерброды, булочки и печенье. Это было весьма кстати, поскольку совершенно неизвестно, когда Насте вообще удастся поесть в ближайшее время. И в-третьих, судя по проносящемуся за окном пейзажу, в Питере не так сыро и слякотно, как в Москве, стало быть, есть шанс проходить целый день с сухими ногами.

Настя никогда не встречалась с родственницей Татьяны Образцовой, которая должна была ждать ее на платформе, но надеялась, что сумеет узнать ее по словесному описанию, данному накануне Стасовым.

— Ирочка — это Ирочка, — авторитетно заявил Владислав. — Знаешь, есть люди, которые идеально соответствуют своему имени. И заметь себе, бывают люди, к которым уменьшительное имя прилипает намертво на всю жизнь, невзирая на процесс взросления, а потом и старения. Наша Ирочка как раз такая.

— Субтильная, что ли? — догадалась Настя, вспомнив известную поговорку о маленькой собачке, которая «до старости щенок».

— Нет, не то, — поморщился Стасов. — Она, конечно, не огромная и пока еще достаточно молодая, но она... Как бы тебе сказать... Она юная. Понимаешь? И это видно во всем. У нее глаза юные, взгляд девичий. Она вся какая-то радостная. Короче, увидишь и сразу узнаешь.

— Ладно, — вздохнула Настя, поняв, что ничего более конкретного она не дождется. — Хоть цвет волос у нее какой?

— Волосы? — Стасов задумался. — Вообще-то темные, она брюнетка, если не перекрасилась. У вас, девушек, это быстро, за вами не заржавеет.

Несмотря на некоторый скепсис, Настя вынуждена была признать, что Стасов абсолютно прав. Ирочку она узнала моментально. Действительно, женщину с таким выражением лица вряд ли кто станет называть по имени-отчеству. Красивая молодая брюнетка в дорогой шубке из светлой норки стояла как раз там, где остановился вагон. Как только Настя шагнула на перрон, Ира тут же подошла к ней. По-видимому, Татьяна, в отличие от Стасова, сумела дать совершенно четкий словесный портрет.

— Настя?

— Да, здравствуйте, Ира. Спасибо, что встретили меня.

— Ну что вы, — смутилась Ира. — Пойдемте, у меня на площади машина стоит. Сейчас я отвезу вас к нам и накормлю, а к одиннадцати часам поедем к вашему следователю. Таня с ним договорилась и оставила адрес.

— Спасибо, — еще раз от всей души поблагодарила Настя. — Вы очень меня выручили.

— Ничего, — улыбнулась Ира, — вы нас тоже выручите. Таня вам вечером все объяснит.

* * *

Ровно в одиннадцать Настя звонила в дверь квартиры бывшего следователя Федора Николаевича Макушкина.

— Проходите, — гостеприимно распахнул двери хозяин, — я вас жду.

Квартира была очень старой, но понять это

можно было только по расположению комнат. Во всем остальном жилище Макушкина выглядело вполне современно и радовало глаз свежепобеленными потолками и светлыми, модного рисунка обоями.

Федор Николаевич усадил Настю в кресло рядом с большим письменным столом, сам устроился на маленьком, кабинетном диванчике.

— Так что вас интересует? Какое-то конкретное дело?

— Да, и очень давнее. Семьдесят третий год, Бахметьев.

— Ну как же, как же, помню, — живо откликнулся Макушкин. — Было такое. Сейчас достану свои бумажки, посмотрим вместе, что там на него есть. А вы, кстати, дело в Верховном суде смотрели?

— Пока нет, — призналась Настя. — Не успела. И потом, мне кажется, ответов на мои вопросы там все равно нет. Ведь оперативная информация, которая не нашла подтверждения, в официальные документы не попадает, а меня интересует именно она.

Макушкин притащил из угла комнаты стремянку и принялся перебирать папки, лежащие на самой верхней полке высокого, до самого потолка, стеллажа. Над его головой закружилось и медленно осело облачко пыли. Двигался Макушкин легко и стремительно, ничем не напоминая стереотипный образ пенсионера-графомана, корпящего над мемуарами. Если бы Настя не знала, что он уже несколько лет находится на пенсии, то ни за что не дала бы ему больше пятидесяти пяти лет.

— Вот! — Федор Николаевич торжественно поднял над головой картонную папку с завязками. — Сейчас поглядим, что там есть. Так-то мне трудно припомнить детали, но если начну читать — сразу вспомню. А вас что конкретно интересует?

— Меня интересуют соучастники, которые не были осуждены вместе с Бахметьевым. И любая информация о деньгах и ценностях, которые не были конфискованы.

Макушкин бросил на нее быстрый острый взгляд. В нем снова проснулся профессионал.

— А что, сейчас что-то выплыло? След появился?

— Не знаю. Пытаюсь понять. Может быть, мне все это мерещится.

— Деталями не поделитесь?

— Извините, — смутилась Настя.

— Ничего, ничего, — усмехнулся Макушкин. — Я понимаю. Не положено.

Он уселся на диванчик, развязал тесемки и стал быстро проглядывать старые записи.

— Боюсь, я вас разочарую, — наконец сказал он. — Мне, видите ли, тогда был интересен не столько механизм хищений и махинаций, сколько всякие психологические выверты. Я больше свои впечатления от встреч с подследственными и со свидетелями записывал. Могу вам сказать, что сам Бахметьев был личностью совершенно неинтересной. Умен, оборотист, энергичен, но таких тысячи. Изюминки в нем не было. Ну, нагл, конечно, безмерно. А вот кто действительно был интересен, так это его мать. Это, я вам скажу, персона! О ней можно книгу написать. Удивительная женщина.

— А вам не показалось, что она знает о делах сына намного больше, чем вы? — с надеждой спросила Настя. — Я поясню подробнее, а то действительно получается, что мы с вами в кошки-мышки играем. Меня интересует, не был ли Бахметьев держателем чьих-то чужих ценностей, может быть, хранителем или распорядителем, и не получилось ли так, что после его расстрела к этим деньгам получила доступ его вдова. И ни с кем не поделилась.

— Ах вот оно что, — протянул Макушкин. — На вдову, значит, наехали?

— Ну... — Настя замялась. — Да. Версий много, но одна из них связана как раз с присвоением тех денег, вот я и пытаюсь узнать, чьи это были деньги и кто может на них претендовать. Конечно, я понимаю, что речь может идти только об эквивалентных ценностях, а не о самих купюрах, им сегодня только в коллекции место.

— Если эти ценности вообще были, — добавил Макушкин. — Но у меня, честно признаться, большие сомнения на этот счет. То, что конфисковали у Бахметьева не все, — это сто процентов. «Всего» никогда не бывает. Понятно, что львиную долю он где-то схоронил. Но я не думаю, что у этой доли были другие хозяева, кроме самого Бахметьева.

— Почему?

— Это трудно объяснить. Просто впечатление такое у меня сложилось. Видите ли, Бахметьев был человеком крайне неприятным. Крайне. Знаете, бывают такие люди, на которых и смотреть противно, и разговаривать с ними противно, а уж дело иметь и вовсе не хочется. Тем более денежное дело. Я бы такому, как Бахметьев, рубля не доверил. И не потому, что он вор и аферист, а потому, что он неприятный. Омерзительный какой-то. Есть же обаяшки, вроде Остапа Бендера, а есть и такие вот отталкивающие типы. Жирный, самодовольный, рожа лоснится, губы толстые. У него на лице было написано намерение обмануть каждого, кто попадается на пути. Думаю, его сообщники признавали в нем организаторского и финансового гения, но понимали, что он их обманывает в части дележки прибыли. Вот смотрите, у меня тут записано: «14 августа 1973 года. Сегодня допрашивал Зинченко. Любопытный феномен: он несколько лет занимался хищениями под руководством Бахметьева, а ненавидит его люто. Не доверяет ему. Более того, как мне показалось, на дух своего шефа не переносит. Считает, что тот ему систематически недодавал при распределении прибылей».

— Понятно. Похоже, вы правы, Федор Николаевич, такому вряд ли доверят общую кассу. Может, еще что-нибудь вспомните?

Макушкин полистал записи и отрицательно покачал головой.

— Пожалуй, ничего существенного я вам не расскажу. Но мой вам совет: попробуйте найти мать Бахметьева. Она, наверное, уже совсем старая, может быть, ее и в живых-то нет. Но вы попробуйте. Меня тогда еще грызло чувство, что она что-то знает. Вполне естественно, что она ничего мне не сказала, ведь решалась судьба ее сына, но теперь, когда судьба эта давно решена и прошло столько лет, может вам рассказать.

— А откуда у вас появилось чувство, что Бахметьева что-то знает?

— Да понимаете, она вела себя как-то... Нетипично, что ли. Например, ни разу не заплакала у меня на допросах, а ведь матери всегда плачут, вы это не хуже меня знаете. Не пыталась оправдать сына. О снисхождении не просила. Просто отвечала на вопросы, и все. Она мне была чем-то симпатична, но я, как ни бился, расположить ее к себе так и не сумел. Между нами все время стена стояла. С одной стороны, это нормально, какое же может быть расположение у матери к следователю, который собирается посадить единственного сына? Но с другой стороны... Знаете, матери всегда в таких случаях начинают рассказывать, каким их сын был чудесным ребенком и все такое. Эта — ни слова. Потом-то я понял, в чем дело. Она, оказывается, была репрессирована, когда сын был еще грудным, так что она его и не воспитывала, и каким он был ребенком, конечно, не знала. Сейчас, сейчас, я тут одну запись ищу... Очень показательный был разговор... Где же она? Я точно помню, что записал в тот же день, настолько меня это поразило. А, вот, нашел!

Макушкин вытащил из папки исписанный мелким почерком лист.

— Я вам вслух прочту, а то вы мои каракули не разберете. «Бахметьева продолжает меня удивлять. Сегодня я сказал ей, что завтра закончу составлять обвинительное заключение. Следствие завершено. Она меня спросила: «Вы уверены, что поймали всех виновных?» — «Откуда такой странный вопрос, Софья Илларионовна? Вам известно, что есть и другие?» — «Нет, я не об этом. Если вы точно уверены, что отдаете под суд всех, кто виноват, то все справедливо. Когда меня, например, арестовали в тридцать пятом, я все двадцать лет мучилась вопросом: почему я? Ну почему я? Понятно, что был план по отлову врагов народа, и этот план нужно было выполнять за счет кого угодно. Но по какому принципу отбирались эти «кто угодно»? Очевидно, что по случайному. Просто судьба тыкала пальцем и попадала в кого-то. Вот в меня попала. Но почему именно в меня, а не в соседа? Вы понимаете, о чем я говорю? Элемент случайности убивает саму идею справедливости». Я ошарашенно смотрел на нее, не зная, что ответить».

Он снова спрятал листок в папку и выразительно посмотрел на Настю.

— Видите, какая она? Элемент случайности убивает идею справедливости. Об этом можно монографию написать, по уголовному праву, например. Незаурядная женщина. Разыщите ее, очень вам советую.

Настя поднялась, стараясь изо всех сил скрыть разочарование. Ничего не вышло. Поездка впустую. Гордеев будет недоволен, она потратила время и казенные деньги, а результат нулевой. А она так надеялась!

— Спасибо, Федор Николаевич. Извините, что отняла у вас время.

— Ну что вы, что вы, — заулыбался бывший следователь, — мне было приятно. Вы когда уезжаете?

— Завтра вечером.

— Оставьте мне телефон, по которому я

смогу вас разыскать. Вдруг да вспомню еще что-нибудь.

Настя продиктовала ему домашний телефон Татьяны Образцовой и распрощалась. У подъезда в машине ее ждала Ирочка, листая какой-то журнал в яркой обложке.

— Ну как, удачно? — спросила она.

— Нет. К сожалению, совершенно неудачно. Но ничего не поделаешь, неудачи случаются чаще, чем хочется. Ладно, несмертельно. Ирочка, мы можем откуда-нибудь позвонить Татьяне?

— Если только из автомата. Сейчас найдем. Вам срочно? Если нет, то можно поехать домой, оттуда позвоните.

— Нет, лучше сейчас. Может быть, придется еще в одно место съездить.

Ладно, раз уж она все равно в Питере и времени у нее вагон, то можно и в самом деле попробовать найти мать Бахметьева.

\* \* \*

В отличие от Насти Каменской Татьяна Образцова пользовалась косметикой всегда и не выходила из дому без макияжа, хотя бы легкого. На работе все так привыкли к виду ее тщательно и умело накрашенного лица, что сегодня, когда она явилась без косметики, по кабинетам моментально разнесся шепоток: «У Тани что-то стряслось. Она на себя не похожа и выглядит плохо».

Начальный этап составленного Татьяной плана пока шел, как и задумывалось. Через пятнадцать минут после начала рабочего дня к ней в кабинет стали заглядывать коллеги и с невинным видом осведомляться, все ли у нее в порядке. Татьяна отвечала уклончиво, а после второго или третьего визитера с досадой сказала своему соседу по комнате:

— Никогда не думала, что буду так плохо себя чувствовать. Неужели токсикоз начался?

Сосед-следователь вытаращил на нее изумленные глаза:

— Какой токсикоз? Ты что...?

— Ну да. Потому и уезжаю в Москву. К мужу поближе. Прямо не знаю, как мне все эти дела закончить. В больницу бы не попасть. Пойду, наверное, сегодня к Исакову, попробую еще раз его разжалобить. Да какой из меня сейчас работник, ну ты сам подумай! Голова болит, мутит, спать все время хочется. Веду допрос и плохо понимаю, что мне говорят. По десять раз одно и то же переспрашиваю.

— Конечно, сходи, — поддержал ее коллега. — Исаков нормальный мужик, говнистый, конечно, но такие вещи понимает. У него самого трое детей.

Еще через час по коридорам пронесся слух,

что Образцова беременна и ей удалось уговорить начальника отпустить ее прямо сейчас.

Еще через полтора часа Татьяна умирающим голосом заявила своему соседу по кабинету, что ей нужно съездить к врачу. Она уже надела пальто, когда на ее столе зазвонил телефон.

— Танюша, здравствуй, — услышала она голос Насти Каменской. — Сильно занята?

Татьяна украдкой бросила взгляд на коллегу, который сидел за своим столом, уткнувшись в бумаги.

— Частично, — осторожно ответила она.

— Слушать можешь?

— Да.

— Мне нужно разыскать одну женщину. Не лично, только адрес. Поможешь?

Татьяна достала листок и карандаш и склонилась над столом.

— Диктуй фамилию и имя.

— Бахметьева Софья Илларионовна. Она очень пожилая, может быть, уже и в живых ее нет.

Татьяна молчала. Сейчас она не слышала ничего, кроме стука пульсирующей в голове крови.

— Алло! Таня, ты меня слышишь?

— Ты сейчас где?

— На углу Невского и канала Грибоедова.

— Мне нужно отъехать по делам. Через полчаса я буду на Фонтанке, возле поликлиники. Ира знает, где это. Она с тобой?

— Да.

— Все, договорились.

Она швырнула трубку и пошла к двери, стараясь выглядеть спокойной.

— Тань, — окликнул ее коллега, — что говорить-то, если будут спрашивать?

— Говори как есть. Стало плохо, пошла к врачу. Я у Исакова отпросилась, он в курсе.

Выйдя на улицу, Татьяна перевела дыхание. Что-то происходит непонятное. Зачем Насте старуха Бахметьева? Неужели в Москве обнаружились концы этого убийства?

* * *

Сергей Суриков был не из тех людей, которые любят что-то анализировать и сопоставлять, делая выводы, обнаруживая недостаток информации и стараясь его восполнить. Во всяком случае, именно таким он был, когда попал к Бахметьевой. Со временем мозги его начали обретать некоторую гибкость и даже быстроту действия. Происходило это под воздействием постоянного общения с Софьей Илларионовной, которое стало для Сергея не только источником самой разнообразной и интересной информации, но и меняло его представления о самом себе и о жизни вообще. На многое он теперь смотрел совсем другими глазами, даже не отдавая себе отчета, что на самом деле это глаза не его, а Бахметьевой.

Он давно уже хотел спросить у своей хозяйки, почему так вышло, что она живет одна. Хотел, но отчего-то не решался. Сначала этот вопрос ему и в голову не приходил, но потом он припомнил, что Софья Илларионовна сказала как-то: «Мужа расстреляли, хорошо хоть сына удалось спасти». Сына. Значит, у нее есть сын. Где же он? Прошло больше года с тех пор, как Суриков поселился у нее, а от сына ни слуху ни духу. И не рассказывает о нем старуха, будто и нет его совсем. Как же так?

Но однажды Сергей все-таки спросил:

— Почему вы живете одна? У вас же есть сын. Он вам совсем не помогает?

Софья глянула исподлобья, губы поджала.

— Нет у меня сына.

— Но вы же сами говорили: когда вас в Сибирь отправили, в лагеря, сына удалось спасти, — упрямился Сергей.

— Он умер. Убили его.

— Бандиты?

— Ну, можно и так сказать. Ладно, расскажу, раз спрашиваешь. Какие секреты между своими.

Сын Софьи Илларионовны был человеком богатым. Очень богатым. Он был связан с бакинскими и казахскими цеховиками и в шестидесятые годы делал огромные деньги на черной и красной икре, бриллиантах и золоте. В семьдесят третьем его арестовали, а в семьдесят четвертом расстреляли по приговору суда. Ему было тридцать девять. Осталась жена с двухлетним сынишкой, внуком Софьи Илларионовны.

При аресте и обыске изъяли только малую часть, Бахметьев был человеком предусмотрительным и свои богатства сохранять умел. «Если со мной что случится, — неоднократно говорил он матери, — ни ты, ни Елена по миру не пойдете. В золоте купаться будете». Его вдова через какое-то время после расстрела получила доступ к спасенным деньгам, но пользоваться ими сразу не стала, боялась. Она быстро утешилась, не прошло и года, как снова вышла замуж. Новый муж мальчика усыновил и растил как своего. Жила невестка с новым мужем в Москве, и Софья не знала, что деньгами ее расстрелянного сына уже пользуются вовсю. К себе в гости они ее не звали и сына в Питер повидаться с бабушкой не отправляли. Первое время ситуация была понятной: ребенок должен сменить фамилию и считать нового мужа Елены своим родным отцом, чтобы никогда не упала на него тень расстрелянного валютчика, контрабандиста и вора Бахметьева. Потому и столь быстрое новое замужество невестки не вызвало протеста у Софьи Илларионовны, ибо подавалось как вынужденная мера. «Надо успеть, пока ребенок маленький, — говорила Елена своей свекрови. — Пусть он вообще не знает, что было время, когда у него не было папы, а до этого был какой-то другой папа. Да и в садик его надо отдавать. Если в документах будет написано, что отца нет, а потом он появится, обязательно найдутся доброжелатели, которые сунут нос не в свое дело и начнут язык распускать. Вы сами, Софья Илларионовна, должны понимать, каково мальчику будет расти, если все кругом будут тыкать в него пальцем и кричать, что его отец — преступник, которого по суду расстреляли». Софья соглашалась с невесткой, а если бы и не соглашалась внутренне, все равно не возражала бы, ибо чувствовала свою вину. Конечно, Елена с самого начала знала, чем занимается Бахметьев, более того, она и замуж-то за него пошла только потому, что у него денег было — море, не посмотрела, что он на семнадцать лет старше ее, ей девятнадцать, ему — тридцать шесть тогда было, а уж выглядел он на все пятьдесят, толстый, лицо жиром лоснится, волосы редкие, лысина в полголовы. Так нет, захотела стать его женой и обвешаться бриллиантами с ног до головы. Знала ведь, что бриллианты эти ворованные. Так что предъявлять свекрови претензии наподобие: «Я думала, ваш сын — порядочный человек, а вы, оказывается, вора и расхитителя вырастили» — у нее никакого права не было. Но, с другой стороны, он — сын Софьи, и она вроде как несет за него ответственность. Конечно, не она его таким воспитала, с двухмесячного возраста и до двадцати лет мальчик был отлучен от матери, его сначала взяли к себе родственники Софьи Илларионовны, потом оказалось, что растить чужого ребенка им не под силу. Мальчика отдали в детский дом. Когда Софья в пятьдесят пятом году вернулась в Питер и разыскала сына, перед ней был вполне сформировавшийся негодяй, наглый, хитрый, циничный, с выраженной, несмотря на голодное детство, склонностью к полноте. Повлиять на его характер Софья уже не могла, в двадцать лет делать это бессмысленно и глупо. В этом возрасте можно дурака научить уму-разуму, но перевоспитать вора и мошенника и заставить его стать хорошим уже невозможно. Так, во всяком случае, считала Софья Илларионовна Бахметьева. Поселившись вместе с сыном, она пыталась сделать все возможное, чтобы он вел нормальную жизнь, но ее попытки упирались в стену наглого упрямства. «Ты сама виновата в том, что я такой. А что ты хочешь? Я же с младенчества в детдоме. Там все просто: не украдешь — с голоду сдохнешь, потому что твою собственную пайку уже давно кто-то другой украл. Там, мамуля, законы были волчьи. А вот если бы ты не вышла замуж за врага народа, то ничего этого не случилось бы. Так что себя вини, других виноватых нет».

Бесполезно было объяснять ему, что врагом народа в тридцать пятом году мог оказаться кто угодно — и академик, и неграмотный деревенский старик, и всенародно любимый заслуженный артист, и скромный бухгалтер, потому что расстреливали человека не за то, что он враг народа, а наоборот, объявляли его врагом, потому что он кому-то мешал и его нужно было расстрелять.

Несмотря на все это, Софья испытывала чувство вины за то, что произошло. Она видела, как ее мальчик «набирает обороты», как, пользуясь рассказом о несчастном детдомовском детстве и несправедливо репрессированной матери, выцарапывает себе поблажки и льготы... И богатеет. День ото дня, год от года. Он давно уже не жил вместе с Софьей, она и вовсе утратила всякую возможность влиять на него хотя бы в мелочах. Но все равно она испытывала чувство вины за то, что случилось. Поэтому и не возражала, когда Елена заявила, что внук Софьи не должен больше быть Бахметьевым. Если уж ее родной единственный сын повел себя так неосторожно и поставил молодую жену с маленьким ребенком на руках в такое сложное положение, то какое право мать имеет оспаривать решения невестки, тем паче направлены они, решения эти, исключительно на благо внука.

— Как только мой новый муж усыновит

мальчика, — говорила юная вдова, которой в тот момент едва исполнилось двадцать три года, — у вашего внука, Софья Илларионовна, будут новые дедушка и бабушка. Ваше появление рядом с нами будет вызывать массу вопросов. Вы понимаете, что я хочу сказать?

Бахметьева понимала. Ее сын — расстрелянный преступник, и поэтому ее отлучают от внука. И сделать с этим она ничего не может.

— Может быть, потом? — робко спросила она. — Когда мальчик вырастет? Конечно, Леночка, я понимаю, сейчас надо скрыть эту историю как можно тщательнее, но попозже, когда он станет большим... Ведь ты расскажешь ему, правда?

— Еще чего! — раздраженно фыркнула невестка. — Как это я буду рассказывать ребенку, что его отца расстреляли, потому что поймали на махинациях. Вы что, Софья Илларионовна, совсем рехнулись? Никогда мальчик не узнает об этом. Такой позор!

— Но ведь вовсе не обязательно говорить ему про махинации и расстрел. Можно просто сказать, что его отец умер или погиб много лет назад и что у него есть еще одна бабушка, мать покойного отца.

Софья сама не заметила, как начала умоляюще заглядывать в глаза Елене. Мысль о разлуке с единственным внуком — последним родным по крови существом на этом свете —

была непереносима. И облегчить боль могла только надежда. А Елена не хотела давать пожилой свекрови эту надежду.

— Ладно, посмотрим, — милостиво снизошла невестка. — Значит, так, Софья Илларионовна, на следующей неделе мы уезжаем в Москву. Адрес и телефон я вам, конечно, оставлю, но полагаюсь на ваше благоразумие и надеюсь, что вы не станете ими пользоваться.

— Зачем же тогда оставлять? — скупо усмехнулась Софья.

— Ну, мало ли что. Заболеете тяжело, или еще какая беда приключится.

Бахметьева молча взяла бумажку с московским адресом и телефоном, но ни разу ими не воспользовалась. Слишком острым и болезненным было воспоминание о том, как унижалась она перед этой соплячкой, как просила и заглядывала ей в глаза. Софья ее так и не простила. И не за новое замужество и отлучение от внука, а именно за это унижение.

* * *

Внезапно резко похолодало, поднялся сильный ветер, который принес с собой обильный колючий снег. Ира вела машину, напряженно вглядываясь в дорогу, а Настя и Татьяна на заднем сиденье вполголоса обсуждали то, с чем им пришлось неожиданно столкнуться.

— Как все похоже, — задумчиво сказала Татьяна. — В течение одних суток два убийства, связанных с семьей давным-давно расстрелянного Бахметьева, точнее, с его матерью и вдовой. И на месте преступления, кроме следов проживающих, следы одного постороннего. А у моего Сурикова нет алиби на весь период, охватывающий оба убийства. Плетет какую-то беспомощную чушь, дескать, ходил, шлялся где-то, выпивал с девицей, с которой только что познакомился. Всю ночь с ней и проколобродил, часов до девяти утра, а потом расстался, и ни адреса ее, ни фамилии, естественно, не знает. Вот поди проверь такое алиби.

— Таня, тебя Стасов очень любит?

— Надеюсь. А что?

— Он может во имя этой любви проявить чудеса оперативности?

— Тоже надеюсь. Ты хочешь предъявить фотографию Сурикова людям, которые видели какого-то молодого человека в доме, где жили убитые супруги?

— Хочу. И еще кое-что хочу. Только тут действительно нужно проявлять чудеса оперативности. Не знаю, получится ли, — с сомнением сказала Настя. — Но надо пробовать. Так или иначе завтра вечером мы должны отсюда уехать. И за это время надо успеть сделать как можно больше.

Машина остановилась перед домом, где жили Татьяна и Ира. Татьяна вынула из сумочки связку ключей, сняла один ключ с кольца и протянула Насте.

— Держи. Иди домой и дозванивайся Стасову и своим ребятам. А мы с Иришкой сейчас поедем ко мне на работу и постараемся обернуться побыстрее.

Настя поднялась в квартиру. Она не любила находиться одна в чужом доме, даже если это был дом, где ее считали желанной гостьей. Ей начинало казаться, что она находится здесь незаконно, не имеет права ходить по этому полу, сидеть на этих стульях и греть воду в этом чайнике. Все вокруг чужое и непривычное, и ей становилось грустно и неуютно.

Ладно, решила она, долой глупые эмоции, надо делом заниматься. И в первую очередь — звонить Стасову. Это проще всего, с тех пор, как Владислав стал повсюду ходить с сотовым телефоном, поймать его можно было в любой момент.

— Владик, ты хочешь, чтобы Таня послезавтра была в Москве? — начала она с места в карьер.

— Естественно. А завтра нельзя? — весело отозвался Стасов.

— Нельзя. А вот послезавтра — можно, если постараешься. Ты должен поехать в Шереметьево, пойти в отдел милиции, найти Жору Востокова и сказать, что ты ждешь моего звонка.

— А я дождусь?

— Обязательно. Я туда позвоню и скажу тебе, какой рейс встречать и к кому подойти. Ты возьмешь пакет и отдашь его Короткову. Все понятно?

— Ничего не понятно. А Короткову я что должен объяснять?

— Я сама ему все объясню. К тому моменту, когда ты привезешь пакет, он уже будет в курсе, я попробую его разыскать. И пожалуйста, будь все время рядом с ним.

— Зачем? Его могут украсть? — пошутил Стасов.

— Да кто на него польстится! — рассмеялась Настя. — Не в этом дело. Нам постоянно будет нужна связь друг с другом, а звонить по межгороду на Петровке можно далеко не с каждого телефона, сам знаешь, ты же там работал. Выход на междугородную есть только с телефонов начальников подразделений, а у простых смертных вроде Юрки и меня его нет. Поэтому пользоваться будем твоей высокооплачиваемой трубкой. Не разоришься?

— Да ладно, для родной жены-то... Значит, мне что делать сейчас? В Шереметьево двигать?

— Да. Искать Георгия Востокова и терпеливо ждать моего звонка. Может так случиться, что ждать придется долго, так что приготовься.

Найти Короткова оказалось куда сложнее. Набирая очередной номер телефона, Настя с ужасом представила себе счет, который придет

Татьяне. Впрочем, ее все равно уже в Питере, наверное, в то время не будет. Куда же Юрка подевался? Конечно, проще всего было бы найти его через Колобка, уж начальник-то точно знает, где бегает его подчиненный. Но Гордеева на месте не было. Во всяком случае, телефон его не отвечал.

Настя решилась на последнее средство и позвонила Люсе, Юриной подруге. Делать это было довольно рискованно, поскольку у Люси были не только двое сыновей, но и до чрезвычайности ревнивый муж. По закону невезения он оказался дома и даже снял трубку. Но Люся тоже была дома, и это уже было везением.

— Через сорок минут, — с ледяным спокойствием произнесла она, выслушав вопрос о местонахождении ее возлюбленного сыщика.

— Вы встречаетесь через сорок минут? — догадалась Настя.

— Да, как договорились.

— Люсенька, приведи его в место, откуда можно позвонить. Я не в Москве, но мне срочно нужно с ним связаться. Запиши телефон.

Она продиктовала номер. Ну все, теперь остается только ждать.

* * *

Звонок Короткова раздался примерно через час. Голос у него был встревоженным.

— Аська? Что за пожар?

— Скорее наводнение, — отшутилась Настя. — В Питере убита мать Бахметьева.

— Да ты что?! Когда?

— Тогда же. Через несколько часов после Елены Шкарбуль и ее мужа.

Она как можно лаконичнее изложила свою просьбу. Срочно найти множество разных людей: следователя, ведущего дело об убийстве супругов Шкарбуль, эксперта, свидетелей, которые видели незнакомого молодого человека в доме, где было совершено преступление. У следователя взять образцы следов, изъятые на месте обнаружения трупов. Эксперта «привязать», иными словами — уговорить сидеть на рабочем месте и никуда не уходить, даже если сидеть придется до глубокой ночи, пообещав ему за это соответственно что-нибудь существенное. Свидетелей тоже разыскать и собрать в одну кучку, чтобы можно было без лишних потерь времени предъявить им фотографию Сурикова. Сам же Коротков должен, проделав все это, сидеть на Петровке в своем кабинете и никуда не выходить, потому что Стасов привезет ему пакет с фотографиями и образцами следов, изъятыми на месте убийства матери Бахметьева. Если следы неустановленного лица, побывавшего в обеих квартирах, совпадут и если свидетели опознают Сурикова, то можно говорить о том, что у него был сообщник. О сообщнике также можно вести речь и в том случае, если в квартире Шкарбулей окажутся следы Сурикова. Значит, супругов-москвичей убил он, а Бахметьеву — сообщник. В любом случае, каким бы ни оказался ответ экспертов, это даст возможность Татьяне раскрутить Сурикова.

— Ася, я все понял, кроме одного. Почему такая бешеная срочность? Что за необходимость огород городить?

— Это долго рассказывать. Но ты мне поверь, так надо. Я тебе свидание сорвала, да?

— Уж конечно. От тебя разве дождешься чего хорошего. Все, целую нежно. Да, погоди-ка, — спохватился Юрий, — рассказывать Гордееву можно или все «срочно-секретно-губЧК»?

— Можно, никаких секретов, если не боишься, что нам за нарушение всех мыслимых и немыслимых правил головы пооткручивают.

После разговора Настя почувствовала себя более уверенно. Юра абсолютно надежен, как танковая броня. Он сделает все, что надо и как надо, чего бы ему это ни стоило. Жаль, конечно, что сорвалось свидание. Ему так редко удается вырваться, чтобы просто погулять с Люсей по городу, хотя бы час, один раз в месяц. У Юрки сумасшедшая работа, у Люси сумасшедший муж. А жить когда?

В дверном замке клацнул ключ, послышались шаги и голос Ирочки:

— Настя! Мы приехали!

* * *

Всю дорогу до аэропорта Пулково Ира сокрушалась по поводу того, что Настя и Татьяна целый день голодные, забыв при этом, что сама она точно так же ничего не ела с тех пор, как утром кормила Настю завтраком.

— Нет, ну куда это годится? Что же это за работа такая идиотская у вас? Почему надо было сразу мчаться в аэропорт, вместо того чтобы спокойно пообедать и только потом ехать?

— Ира, в Москве, в Шереметьеве, сидит Стасов и ждет пакет. Неужели вам его не жалко? — пыталась увещевать ее Настя.

— Знаю я ваше Шереметьево, — упрямилась Ира, — там на каждом шагу можно поесть, он от голода не умрет.

В аэропорту Настя разыскала отдел милиции и через двадцать минут уже передавала пакет командиру экипажа. Самолет вылетал через полчаса. Пока все шло более или менее успешно.

На обратном пути она попыталась представить себе завтрашний день. Как его построить, чтобы все получилось и чтобы вечером уехать в Москву втроем?

Через полтора часа Стасов заберет пакет и повезет его на Петровку. Будет уже часов восемь вечера, когда Юра Коротков сможет отнести образцы экспертам. Пусть посмотрят и ответят на вопрос, не Сергей ли Суриков побывал в вечер убийства в квартире Шкарбулей? Пока они будут сравнивать образцы, кто-то, может быть, сам Коротков, а может быть, и еще кто-нибудь, поедет к свидетелям показывать фотографию Сурикова. Интересно, где Юрка их соберет? А вдруг удастся всех их привезти на Петровку? Нет, маловероятно, это слишком сложная задача для такого ограниченного времени. Если окажется, что следы на месте убийства принадлежат Сурикову и свидетели его опознают, Татьяна дожмет этого мальчишку и сможет за завтрашний день собрать достаточное количество фактуры, чтобы его обвинить. Потом дело доведут и без нее. Только бы не забеспокоились эти «приватиза-торщики», только бы не почуяли запах паленого. Жизнь работника милиции стоит так же мало, как жизнь любого гражданина. Никто не останавливается перед убийством человека в погонах. И что ужаснее всего, никого не остановит тот факт, что человек этот — женщина.

## Глава 7

Насте постелили в гостиной на огромном раскладывающемся диване. Памятуя бессонную ночь в поезде, она была уверена, что сможет быстро уснуть и крепко проспать до утра. Но не тут-то было. В голове все время крутились мысли о расстрелянном много лет назад Сергее Бахметьеве, его вдове и матери. Если все дело в присвоенных когда-то ценностях, то понятно, что Елену Шкарбуль и ее мужа убили из-за них, а Софью Илларионовну — потому что она знала, чьи это деньги и кто может заявить свои права. Больше никак не получалось. По отдельности убийства в Москве и Петербурге могли быть совершены из-за чего угодно, но вместе?

Она крутилась с боку на бок, потом решительно встала, закуталась в халат, который ей одолжила Ира, и вышла на кухню. Не успела она закурить, как послышался скрип двери, потом осторожные шаги, и на кухне появилась Татьяна. С чисто умытым лицом и распущенными волосами, в длинной, до пят, нежно-сиреневой ночной рубашке она казалась рано располневшей молоденькой девушкой. В эту минуту никто не сказал бы, что ей тридцать пять, она следователь, в третий раз замужем и ждет ребенка.

— Ты чего не спишь? — вполголоса спросила она. — Нервничаешь?

— Да нет, скорее просто переживаю. Таня, у тебя часто начальники менялись?

— Конечно. За все время работы их штук шесть сменилось.

— И как, трудно к новому привыкать?

— Трудно только в первые два раза, —

улыбнулась Татьяна. — Потом вырабатывается стереотип, механизм приспосабливания, и дальше уже легче. Почему ты спрашиваешь об этом?

— Гордеев уходит.

— И для тебя это проблема? — удивилась Татьяна.

— Не то слово. Трагедия. Я десять лет с ним проработала. Это вообще всего лишь второй начальник в моей жизни. Не представляю, как я буду без него. Да и не только я, все мы в ужасе. Понимаешь, у нас как-то сложилось впечатление, что Колобок — вечен, что он будет с нами всегда. Умом-то мы понимали, что так не бывает, но думать об этом не хотелось. Он есть, он каждый день на работе, мы за ним как за каменной стеной. Это ведь очень важно, когда ты не боишься своего начальника. Доверяешь ему.

— Естественно. Если боишься начальника, то пытаешься скрыть от него ошибки и неприятности, а они потом разрастаются до такой катастрофы, с которой уже и не знаешь, что делать.

— Вот-вот, — подхватила Настя. — Он же сам нас всегда учил: ошибки надо признавать и исправлять немедленно, пока еще можно что-то исправить. Мы со своими ошибками постоянно к нему бегали, может быть, потому и работали намного успешнее, чем многие другие.

И потом, он нас приучил к тому, что за наши ошибки мы перед вышестоящими начальниками не отдуваемся. Он сам всегда ходил «на ковер», нас прикрывал. Нам, конечно, мозги вправлял, но по делу. И потом, он умел это делать как-то необидно. Получается, он приучил нас, а теперь бросает. Я знаю, я не имею права так говорить. Никто не имеет права требовать от человека, чтобы он ломал свою жизнь из жалости к подчиненным. Это глупо.

— Не знаю, — задумчиво произнесла Татьяна. — Я ведь попала почти в такую же ситуацию. Приручила Ирку, взяла ее на свое иждивение, она и привыкла, что можно не работать и не иметь профессии и при этом ни в чем не нуждаться в материальном плане. Она постоянно чувствовала свою нужность, необходимость, то есть у нее не было тоски от ощущения собственной никчемности, бесполезности. И когда встал вопрос о том, что я уезжаю, а она остается, я чувствовала себя ужасно виноватой. Мне казалось, что я не имею права ее бросать. Конечно, все получилось к лучшему, когда оказалось, что у меня будет ребенок. Просто стало понятно, что мы друг без друга не обойдемся. Я ее не брошу. И она меня тоже.

— Хорошо вам, — с завистью вздохнула Настя. — Чем бы эдаким Колобку забеременеть, чтобы он понял, что не должен с нами расставаться?

— Пусть он забеременеет какой-нибудь идеей. Например, придумает новое подразделение, которое сам и возглавит, а вас всех к себе заберет.

— Ну да. А убийства раскрывать кто будет?

— Да... Убийства... Убийства — это серьезно. С этим не поспоришь. Настя, когда твои ребята должны отзвонить? Я уж прямо места себе не нахожу. Завтрашний день должен все решить. Мы кровь из носу должны завтра вечером уехать, еще одного дня в постоянном страхе я не протяну. И потом, я не столько за себя боюсь, сколько за Ирку. Она такая доверчивая. Так легко с людьми знакомится, вступает в контакт... В ней совершенно нет разумной боязливости. В каждом красивом мужике видит потенциального принца и жениха. Ее заманить куда-нибудь — раз плюнуть.

— Таня, ты уверена, что сможешь за один день расколоть Сурикова?

— Я так не ставлю вопрос, — жестко ответила Татьяна. — Это вы, сыщики, народ вольный, а я всю жизнь была следователем и подчинялась дубинке под названием «срок». Сроки поджимают — и никуда не денешься. Из-под себя выпрыгиваешь, а результат даешь. Если я буду бояться и сомневаться, у меня ничего не получится. Я должна успеть. И обсуждать тут нечего. Давай сами позвоним, чего ждать-то.

Она потянулась к телефону и набрала номер Стасова. Тот долго не отвечал, и Настя уже начала рисовать в воображении картины — одна страшнее другой. Стасов попал в автокатастрофу. Случилось что-то непредвиденное. Авария на электростанции, и поэтому не работает спутниковая связь. Фантазия у майора Каменской была богатая, это, с одной стороны, помогало ей придумывать версии, но с другой стороны... Мысленно она уже видела окровавленные трупы Стасова и Короткова вместе, когда Татьяна заговорила в трубку:

— Откуда я тебя вытащила? Ого! Бедные вы, бедные. Ну что ты мне скажешь?

Она какое-то время молча слушала мужа, потом сказала:

— Ладно, перезвони, как сможешь, мы ждем. Спасибо.

Настя вглядывалась в ее лицо, приоткрыв рот от нетерпения.

— В Москве начался жуткий снегопад. Они попали в пробку, а движок заглох. И вот Стасов с Юрой через весь этот затор машину руками толкают. Можешь себе представить это море удовольствия.

— Таня! Ну не терзай ты меня! Что он сказал?

— Что у нас с тобой плохо с арифметикой. Дактокарты скольких человек мы отправили экспертам?

— Елена Шкарбуль с мужем и сыном — трое. Бахметьева с квартирантом Суриковым — двое. Плюс следы двоих неизвестных, правда, один из них может оказаться Суриковым. Итого, либо семь, либо шесть.

— А у них вышло пять.

— Как это — пять? — недоуменно переспросила Настя. — Откуда пять? Должно быть шесть, если у Шкарбулей был Суриков, или семь, если не он.

— Пять, Настенька. Только пять. А соседи Шкарбулей молодого человека по фотографии опознали.

— Ничего себе, однако! Вот это комбинация. На здоровую голову такое и придумать-то невозможно.

— Теперь ты понимаешь, что произошло? Все, завтра Суриков — мой. Я его сделаю.

* * *

Его не допрашивали уже два дня, и Суриков занервничал. Неужели опять следователь сменится? Это плохо. Тетка-то эта, Образцова, ему в самый раз подходит. Сразу видно, что она на квартирные дела внимания не обращает. Задаст вопрос, от которого ему жутко делается, и тут же забывает, про другое начинает спрашивать. Или она рассеянная такая? Сколько раз было, что он холодным потом покрывался и думал: вот оно, заметила, поняла, уцепилась, сейчас зубами клацнет у него на горле, как охотничья собака, и больше уж не выпустит. И — ничего. Обходилось. Следовательша в другую сторону гнет. А придет вместо нее еще кто-нибудь — как знать, как дело обернется. Предыдущий-то, Чудаев, видно, в доле был, на все сквозь пальцы смотрел, каждому слову верил. С ним проблем не было. Хотя, может, и не в доле он, а просто дурной, безразличный. Сейчас таких много, вон сокамерники рассказывают, что милиционеры на свою основную работу плюют с высокой колокольни, им деньги зарабатывать надо, семью кормить, шестерят где могут, кто в охране, кто в бизнесе. Короче говоря, над уголовными делами «не зависают». И Образцова, похоже, такая же. А вдруг теперь новый следователь будет? Еще неизвестно, на кого нарвешься.

Он жевал хлеб, который принесли на завтрак, запивал жидким чаем, но вкуса не чувствовал. Почему-то по утрам он всегда думал о бабке Софье. По вечерам-то все больше жизнь свою вспоминал, которая до Бахметьевой была, а по утрам старуха полностью владела им. Оттого, наверное, что до встречи с ней спать ему приходилось черт-те где, а два года с лишком, проведенные с ней, он спал в мягкой чистой постели, где и телу было удобно, и душе уютно. И по утрам, с трудом разминая затекшее на жестких нарах и озябшее в сырой камере тело, Суриков особенно остро ощущал отличие этой жизни от той.

Громыхнул засов, и полтора десятка пар глаз немедленно уставились на дверь. Кого вызовут?

— Суриков! — послышался голос контролера. — Выходи, к следователю пойдем.

В нем шевельнулся страх. Кого он сейчас увидит? Все ту же Образцову, от которой он никакой опасности не ждет, или кого-то другого? Господи, идти бы так, идти этим длинным коридором, и чтобы он никогда не кончался...

Слава богу, это она, следовательша. Можно перевести дух.

— Здрасьте, Татьяна Григорьевна, — радостно заявил Суриков прямо с порога. — А я уж беспокоиться начал, что мое дело опять кому-то новому отфутболили. Чего же мне так не везет, а? Никому я не нужен, все меня спихнуть подальше хотят. Спасибо, хоть вы от меня не отказались.

— Здравствуйте, Суриков, — сухо сказала она. — Садитесь. Времени у нас с вами мало, поэтому будем его экономить. Давайте начнем все сначала, но в хорошем темпе, не будем застревать там, где и так все понятно. Договорились?

— Чего это сначала-то? — принялся дурачиться Сергей. — Давно уж к концу пора подбираться да освобождать меня вчистую, а вы опять сначала. Не надоело вам?

— Мы же договорились, — недовольно поморщилась Образцова, — не тратить время зря. Приступим. Как вы добирались до Москвы, поездом или самолетом?

Ему показалось, что он оглох. Кровь бросилась в голову, в ушах зашумело. Какая Москва? Как она узнала?

— Я повторяю вопрос. Как вы добирались до Москвы? Мы договорились, Сергей Леонидович, что время будем беречь, поэтому ставлю вас в известность, что вас видели в доме, где произошло убийство, описали довольно подробно, а потом опознали по фотографии. Вы там были, это установлено. И оставили на месте убийства отпечатки своих пальцев и ботинок. Мне в третий раз повторить вопрос или вы ответите?

— Поездом, — почти прошептал он и сам удивился тому, как тихо прозвучал его голос. Ему казалось, что он сказал это довольно громко.

— Как вы вошли в квартиру Шкарбулей?

— Дверь была не заперта. Я...

— Да?

— Я не убивал их. Они уже были... когда я пришел... Я испугался.

— И что сделали?

— Ушел.

— Долго пробыли в квартире?

— Нет... Я не знаю... Я испугался. Недолго. Минут пять, наверное.

— Что было потом?

— Поехал на вокзал. Сел в поезд.

— Билет купили перед отходом поезда?

— Нет, у меня был уже. Я здесь купил сразу туда и обратно. Я не убивал, честное слово! Я не убивал! Они уже были мертвые, когда я пришел! Лежали в луже крови! Ну почему вы мне не верите?

— Вы были раньше знакомы с кем-нибудь из семьи Шкарбуль?

— Нет.

— Зачем же вы к ним пришли?

Он молчал. Что он мог ей сказать? Что пришел их убить?

\* \* \*

...Кроме телевизионных программ, содержащих криминальную хронику и другую такого же рода информацию, старуха Бахметьева обожала детективы. И смотреть, и читать.

— Зло должно быть наказано, — заявляла она Сергею.

Посмотрев фильм, в котором преступнику удавалось ловко обойти полицейских, она недовольно ворчала:

— Плохое кино, неправильное. Нельзя совершать преступления безнаказанно. За содеянное зло должно следовать возмездие, это закон, по которому устроен мир, и нарушать его никому не дано.

Суриков только посмеивался про себя над старухиной несовременностью. Но однажды решил ее поддеть:

— Если вы так твердо считаете, что любое зло должно быть наказано, то что ж вы своей невестке все с рук спустили? Сами же говорили, что она вас смертельно оскорбила и унизила. И денег своего родного сына вы так и не увидели, она все к рукам прибрала. Выходит, для кино у вас одни законы, а для вашей собственной жизни — другие?

Реакция Бахметьевой была неожиданной. Она медленно подняла голову и внимательно посмотрела на Сергея, потом запавшие губы раздвинулись в странной улыбке. Суриков никогда раньше не видел, чтобы Софья так улыбалась, хотя прожили они вместе уже года полтора.

— А кто тебе сказал, Сереженька, что ей это с рук сошло? Нет, не простила я ее. И жду, когда она будет наказана.

— Да кто ж ее накажет, интересно знать? — продолжал насмешничать он. Ему вовсе не хотелось обидеть хозяйку, он был очень к ней привязан и относился к старой женщине со всей теплотой и нежностью, на которые вообще был способен. Но был он еще слишком молод, чтобы уметь точно чувствовать ту грань, за которой кончается шутка и начинается разговор всерьез. — Бог, что ли? Так вы же в бога не верите, Софь-Ларионна, вы и в церковь не ходите. Нет, что-то у вас концы с концами не сходятся.

— Ну что ж, буду ждать, пока найдется человек, который их вместе сведет, — бросила Бахметьева загадочную фразу. — Мне самой-то это уже не под силу. А закон — он действует обязательно, другое дело, хватает ли у человека терпения и сил дождаться. Ну, мне, Сереженька, терпения не занимать, если уж я двадцать лет лагерей и поселений вытерпела и не сломалась, если я своего сына любимого двадцать лет не видела и не сошла с ума, если его смерть пережила, то и справедливости дождусь.

Суриков только хмыкнул в ответ и снова уткнулся в телевизор, где как раз начинался боевик с Чаком Норрисом. Софья боевики не любила, поэтому сразу же уползла на кухню и принялась греметь кастрюлями, готовя обед на завтра. Минут через пятнадцать после начала фильма Сергей вдруг припомнил недавний разговор. А что? В самом деле, права старуха, зло должно быть наказано. Боевики-то все до одного как раз про это. В детективах идея справедливого возмездия не очень заметна, там все внимание на загадку уходит, на тайну: кто преступник и как его поймать. А в боевиках тайны почти никогда нет, а есть обидчики и обиженные, и весь фильм обиженные или их защитники только и делают, что мстят да разбираются с обидчиками.

Нет, ну до чего все-таки умна старуха! Опять права оказалась.

* * *

Он даже не заметил, как старая женщина вошла в него, в его плоть и кровь, свила гнездо в его душе и стала жить в теле Сергея Сурикова. Он был просто очень привязан к ней и не видел в этом ничего плохого или опасного для себя.

Через полтора года он уже не мог дня без нее прожить. И после работы в магазине мчался домой как угорелый. Он скучал без Софьи Илларионовны, без ее интересных рассказов о таких вещах, о которых Сергей и не слышал никогда, без ее острого юмора, без ее мудрых и рассудительных суждений. И она нуждалась в нем, в его помощи и заботе, она ждала его каждый день с работы с горячим ужином, ласково называла «сынком» и «Сереженькой», а главное — она умела сделать так, что каждая проблема, кажущаяся неразрешимой, вдруг представала понятной и простой, такой, с которой справиться — как нечего делать.

Они нужны друг другу, и им хорошо вдвоем, тепло и уютно. Не нужна Сергею никакая собственная квартира, пусть бы Софья жила подольше, и он — рядом с ней. Вероятно, года через два-три его мнение переменилось бы, желания и стремления стали бы другими, но сейчас, зимой девяносто шестого года, Суриков думал именно так и хотел именно этого: чтобы его хозяйка Софья Илларионовна Бахметьева жила в добром здравии как можно дольше. Софья — его стена, теплая, крепкая и надежная, которая защитит от любых невзгод и опираясь на которую можно жить без неприятностей и осложнений. Софья — врач, который вылечит от любой хвори, не отдавая его в больницу. Софья — его учитель, она заставляет его слушать ее рассказы и учит думать и запоминать, сопоставлять и делать выводы. Она приучила его читать, пусть понемногу, но постоянно, каждый день перед сном, и он сам чувствует, что стал соображать быстрее и лучше. Благодаря Софье на работе в универсаме его считают чуть ли не интеллектуалом, достойным университетского диплома, смотрят с уважением и даже снисходительно относятся к тому, что он, когда слабость одолевает, по полдня не работает, в подсобке отсиживается. А с врачом тогда как помогли! Да разве для другого какого-нибудь грузчика стали бы они так в лепешку расшибаться, и врача разыскивать, и машину давать? Не стали бы. А для него сделали. Почему? Да потому, что он им Софьиными рассказами уши замылил, умным прикинулся, приличным. Нет, куда ни кинь, а кругом он Бахметьевой обязан. Софья — домоправительница, которая приготовит обед, приберет в комнате и пришьет оторвавшуюся пуговицу. Софья — мать, которая приласкает, погладит по голове, спросит, как дела и отчего глаза грустные. Софья — друг, которому можно рассказать все без утайки, не стыдясь и не стесняясь, и получить дельный и мудрый совет.

Софья Илларионовна для него — все. Дай ей бог здоровья и долгих лет жизни.

К лету девяносто шестого года Сергей Суриков «созрел». Если Софья, самый близкий ему на этом свете человек, ждет, что найдется кто-то, кто восстановит попранную справедливость, то кто же еще должен это сделать, если не он сам. Не зря ведь ее сына тоже звали Сережей, это знак судьбы. Сына расстреляли, и Суриков ей теперь самый родной. Разве сын не вступился бы за мать? Мысль пришла легко и естественно, и Сергей долго удивлялся, почему она не появилась у него в голове много раньше, ведь тот разговор о справедливом возмездии состоялся давно, еще в феврале.

Он только не знал, как поговорить с Бахметьевой. Может, совсем просто? «Софья Илларионовна, дайте мне адресочек, я поеду и разберусь с вашими обидчиками».

Поеду и разберусь. Как у него все просто.

Билет до Москвы стоит тысяч двести пятьдесят, и обратно столько же, а где лишние полмиллиона взять? Они с Софьей живут скромно, экономят, каждую копейку считают. И потом, что значит: разберусь? Он морду бить Софьиной невестке, что ли, собирается? Глупость. Не хватало еще с бабой драться. А с мужем ее разборки устраивать тоже не больно умно. Ему сейчас должно быть лет пятьдесят, самый расцвет, он Сурикова в баранку скрутит раньше, чем тот его первый раз ударит. Сам-то Сергей не особенно сильный, хоть и грузчик. Осторожно переносить тяжести — это одна песня, а вступать в активное единоборство — совсем другая, с точки зрения нагрузки на сердце.

Ладно, он еще подумает. Спешки никакой особой нет. Но и тянуть не надо. Софья уже старая совсем, может в любую минуту заболеть. Не приведи господь, умрет. Если уж Сергей Суриков решил взять на себя миссию восстановителя справедливости, то имеет смысл делать это, пока Бахметьева жива. А то помрет с обидой, что за нее никто не вступился и не отомстил. Нет уж, надо, чтобы она ушла спокойной и довольной.

* * *

— Зачем вы пришли к Елене Шкарбуль и ее мужу? — повторила Образцова.

— Ну... это... В гости.

222

— Они вас ждали?

— Ну да.

— Вы шли в гости к незнакомым людям? По какому поводу?

— Софья Илларионовна просила.

— Поподробнее, пожалуйста. О чем конкретно просила вас Бахметьева?

— Ну, посмотреть, как они живут, как внук ейный. Она внука давно не видела, хотела узнать, как там и что. Меня послала. А что плохого?

Он попытался окрыситься, старался разозлиться, чтобы почувствовать себя более уверенно, но ничего не получалось. Земля с каждым шагом, с каждым заданным вопросом уходила из-под ног, и уверенности становилось все меньше и меньше. Боже мой, он же не убивал их! Не убивал! Как же доказать ей? Как убедить?

— Ничего плохого, — спокойно ответила Образцова. — Вы вошли в квартиру и увидели, что хозяева убиты. Почему вы не позвонили в милицию? Почему не позвали соседей? Почему просто повернулись и ушли?

— Я боялся, — выдавил он. — Меня первого же и схватили бы. Думаете, нет?

Внезапно он почувствовал прилив злости и отчаяния.

— С Бахметьевой же точно так и вышло! — закричал он, почти потеряв над собой контроль. — Кто-то ее убил, а меня схватили и в кутузку бросили! На меня первого подумали! Чем я хуже других? Почему на меня первого? Потому что необразованный, потому что грузчик, да? На таких, как я, всегда отыгрываетесь, хватаете, кто послабее, а те, которые с дипломами, у вас всегда выворачиваются! Ну давайте, вешайте на меня всех собак! Какие там у вас еще трупы висят неоприходованные? Давайте, валите все на меня, я все приму, мне от вас, сук легавых, все равно не выскочить!

Он слышал свой голос словно со стороны, как будто это и не он орал, а кто-то посторонний. Вдруг он наткнулся на глаза Образцовой и умолк. Она смотрела на него с любопытством, как на диковину в музее, и во взгляде у нее не было ни злости, ни обиды, ни раздражения.

— Вы все правильно говорите, Суриков, — сказала она все так же спокойно и чуть холодновато. — На вас первого подумали. На это и был расчет. Вас подставили. Неужели вы до сих пор этого не поняли?

— Кто подставил? — тупо переспросил он. — Как подставил? Зачем?

— А вы подумайте.

— Не понимаю я...

— Кто послал вас в Москву?

— Никто, я сам поехал.

— Неправда.

— Правда. Я видел, что Софья мается, по

внуку тоскует, решил поехать, чтобы поговорить с ним. Объяснить, что бабушка скучает и что свинство с его стороны даже писем ей не писать.

Ему удалось собраться и взять себя в руки. Теперь Сурикову казалось, что его версия звучит логично и убедительно.

— И как, поговорили?

— Нет.

— Почему же?

— Я вам уже сказал: я пришел, а они...

— Слышала. Они. Елена и Юрий Шкарбуль лежали на полу в луже крови. А Виталий где был? Тоже на полу убитый?

— Нет... Я не знаю. Они лежали в комнате, которая самая первая от прихожей. Я дальше не пошел. Может, он тоже лежал... Я не смотрел. А что, его тоже убили?

— Значит, вы не пытались его разыскать? — продолжала Образцова, не ответив на его вопрос.

— Нет. Я испугался и поехал на вокзал. У меня билет был куплен.

— Хорошо. Что было дальше?

— Ничего. Я приехал, пошел домой, к Софье. У подъезда меня взяли. Вот и все.

— Как давно Софья Илларионовна не видела своего внука?

— Ну, это... Я не знаю точно. Лет пять, может.

— Письма от него получала?

— Не знаю. При мне — ни разу. Она потому и тосковала...

— Это я уже слышала. И по телефону ему не звонила?

— Нет.

— А он ей?

— Тоже нет.

— Отчего же так? Они поссорились?

— Да не знаю я! — Он снова начал заводиться, потому что на этот счет готовых объяснений у него не было.

— Зато я знаю, Суриков, — в голосе Образцовой послышалась усталость. — Вы все врете. Врете, как последний дурак, сами себе хуже делаете. Вот справки из городских телефонных станций Петербурга и Москвы. С телефона Бахметьевой в течение только одного месяца, октября, семь раз звонили в квартиру Шкарбулей, а из квартиры Шкарбулей по телефону Бахметьевой звонили целых двенадцать раз. Вы можете мне это объяснить?

— Ничего не знаю, — отрезал он. — Я целый день на работе был. А при мне Софья никому не звонила. И ей из Москвы никто не звонил.

— Все правильно, — почему-то вздохнула Образцова. — Неужели вас этот факт не настораживает? Софья Илларионовна вела очень интенсивные переговоры со своими родственниками в Москве, но вам об этом ничего не известно. Как же так, Сергей Леонидович?

— Не знаю я! — снова заорал он. — Чего вы прицепились?! Не знаю!

— Конечно, не знаете. Вы и не должны были знать. Вы должны были поехать и разобраться с невесткой вашей хозяйки. И вас должны были арестовать практически сразу же. Там, в Москве. Тогда все ценности, которые Елена и Юрий Шкарбуль не успели растратить, достались бы Софье Илларионовне и ее внуку. Большие ценности. Они ведь расходовали их очень экономно, а ценностей было много. Бахметьев успел наворовать на сотни тысяч долларов, если не на миллионы, и все это богатство в золоте, платине и драгоценных камнях досталось когда-то его вдове, а потом и ее новому мужу. Там еще много осталось, на ваш век хватило бы. Вы ведь именно так договаривались с Софьей Илларионовной?

Он замкнулся. Она все знает. Чего теперь говорить? Упираться бессмысленно, она откуда-то все узнала. Но он ни за что не выдаст Софью. Ни за что. Возьмет все на себя. Софья — это святое.

— Что вы молчите, Суриков? Я права? Вы поехали в Москву, чтобы совершить убийство?

Он молча кивнул.

— Бахметьева знала об этом?

— Нет. Она ничего не знала. Я сам.

— Что — сам? Сам адрес узнал? Сам придумал про ценности? Не морочьте мне голову, Сергей Леонидович. Вас послала Бахметьева. И заранее договорилась со своим внуком обо всем. Они вдвоем в течение двух дней после убийства сдали бы вас милиции, это несложно. Разыграли бы как по нотам.

— Нет!!! Замолчите!!! Не смейте!!! Не трогайте Софью!

Но Образцова будто и не слышала его истерического выкрика, ни один мускул на ее лице не дрогнул.

— Софья Илларионовна давно уже общалась с Виталием. И он прекрасно знал, кто его родной отец и что у него есть еще одна бабушка. Вам это неизвестно, да? Вам Бахметьева говорила, что ни разу не видела внука после отъезда Елены в Москву? Так вот, это неправда. Она вас обманула. Она сделала вас послушным орудием в своих руках. Думаете, это вы сами решили свершить справедливость и отомстить за нее? Нет, Суриков, это было ее решение, и она умело вложила его вам в голову. Она хотела сделать все вашими руками, а потом избавиться от вас и посадить, чтобы вы не путались под ногами. И ей это почти удалось. Вы же арестованы, как видите. Правда, за другое убийство, но сути это не меняет.

— Что вы такое говорите? Вы не смеете... Софья не могла... Она меня любила.

— Сергей Леонидович, своего внука она любила еще больше. Разница, однако, состоит в том, что внук, в отличие от вас, ее совсем не любил. Поэтому приехал в Питер раньше вас, вероятнее всего — самолетом прилетел и убил ее. Чтобы уж совсем ни с кем не делиться. Он-то все точно рассчитал. За одно из убийств наверняка арестуют именно вас, а к нему и второе убийство прилепится. А не прилепится — так и повиснет нераскрытое. Кстати, как вы собирались совершить убийство? Голыми руками?

— У меня пистолет был.

— Да ну? Откуда?

— У Софьи взял. Это пистолет ее сына. Она во время ареста его сумела спрятать.

— И дала вам, чтобы вы совершили убийство в Москве?

— Нет! Я сам взял. Украл. Она не знала.

— И куда дели?

— Выбросил.

— Где?

— Ночью, когда в поезде ехал. Пошел в туалет и из окна выбросил. Я сам, я все сам, Софья ни при чем.

— Суриков, я ценю ваше благородство, вы бережете честь старой женщины, к которой были привязаны и которая вам дорога. Вам трудно смириться с правдой, но смотреть ей в глаза все равно придется. Вы никуда от этого не денетесь.

— Я не понимаю... Что же, выходит, там, в Москве... тоже он, что ли?

— Наконец-то, — улыбнулась Образцова. — Вы начали соображать. Это хороший признак. Вы, Сергей Леонидович, человек слабый. Это я вам не в упрек говорю, просто констатирую факт. У вас слабое здоровье, больное сердце, да и в целом вы существо достаточно беззлобное. Порыв у вас был сильный, но никто не смог бы поручиться, что вы доведете дело до конца. Убить человека не так-то просто, поверьте мне. Вы могли сорваться. Бахметьева и ее внук боялись, что у вас не получится. Вы могли испугаться, передумать, у вас мог сделаться сердечный приступ. Одним словом, им нужно было подстраховаться. Как именно они планировали это сделать, нам расскажет Виталий Шкарбуль, вы этого все равно не знаете и знать не можете. Но Виталий все сделал по-своему. Он убил мать и отчима незадолго до вашего прихода. Ведь Бахметьева инструктировала вас, в котором часу идти к ее родственникам, правда? Она сказала, что нужно прийти так, чтобы совершить убийство и сразу же ехать на вокзал и садиться в поезд. Чтобы ни одной лишней минуты в Москве не провести. Ведь говорила?

Боже мой, что же это? Откуда она все знает? Что происходит? Неужели правда, что Софья...? Нет, не может быть, не может быть, не может, не может! Не могла Софья так с ним

230

поступить! Она же любила его. И он ее любил. Он молился на нее. Два года вместе, душа в душу...

— Виталий знал, на какой поезд у вас взят билет, бабушка его оповестила. Он застрелил родителей и быстренько рванул в аэропорт. Он знал, что вы вот-вот придете, войдете в квартиру, оставите там свои следы, вы же совершенно неопытны и наверняка наследите. Обувь, пальцы, запах. Так и вышло. Когда вы ехали в поезде назад, в Питер, он уже был у бабушки, а когда вас арестовали по подозрению в убийстве вашей хозяйки Бахметьевой, он снова был у своей подружки, которая добросовестно составила ему алиби. За такие деньжищи какое угодно алиби можно дать. Он тоже не особенно опытен в совершении преступлений, поэтому и он оставил в квартире Бахметьевой свои следы.

Она умолкла, подперла подбородок ладонью и стала смотреть куда-то в угол комнаты. Точно так же всегда сидела за столом бабка Софья. От этого воспоминания ему стало больно, так больно, как будто его резали живьем. А он так ее любил!

Образцова посмотрела на часы.

— В общем так, Сергей Леонидович. Я выношу постановление об освобождении вас из-под стражи. Вы будете привлечены к уголовной ответственности за приготовление к убийству супругов Шкарбуль, но могу вам обещать, что свободы вас не лишат. Вы сегодня же уйдете отсюда. Теперь займемся другим делом, не менее важным. Кто уговорил вас на эту аферу с подложной доверенностью?

\* \* \*

Татьяна взглянула на часы. Пока она идет в графике. На первую часть допроса она планировала затратить не более двух часов. Этого должно было хватить, чтобы разобраться с убийствами. Теперь надо приступать к самой сложной части. Суриков, конечно, не гигант мысли и не мастер логических построений, но нормальное чувство страха ему присуще не меньше, чем всем остальным. Сдать ей тех, кто уговорил его пойти на подлог и ложные показания, он побоится. Их много, и они работают в милиции. Куда ему против них?

Жалко парня. Пусть он и собирался совершить убийство, но все равно его жалко. Так верил своей квартирной хозяйке, а она... Он для нее — ничто, пыль под ногами. Посадила бы его и глазом не моргнула.

Суриков побоится давать показания против тех, кто затеял квартирную игру. Его можно понять. Она ведь и сама боится трогать это дело, и еще как боится. Но она уедет, если повезет, уедет прямо сегодня, и в Москве она будет под защитой мужа, крепкого профессионала. А несчастный Суриков? Есть же в некоторых странах законы о защите свидетелей. Уговорят человека дать показания против сильной организованной группировки, потом документы ему поменяют, переезд в другой город организуют, даже пластическую операцию могут за государственный счет сделать. А у нас? Правосудие свое дело сделало и потирает ручки, довольное и счастливое, а свидетель оказывается брошенным на произвол судьбы. Никому он больше не нужен, и никто его не защитит. И понимает он, что жить ему осталось, может быть, совсем немного. Что ж, наше государство всегда славилось тем, что ставило во главу угла собственные интересы, а на каждого отдельного человека ему было наплевать.

— Кто уговорил вас на эту аферу с подложной доверенностью?

— Не знаю я ни про какую доверенность, — быстро ответил Суриков.

— Совсем ни про какую? — насмешливо переспросила Татьяна. — А как же Гольдич?

— А, это... ну, вы про нее уже спрашивали. Я думал, вы про другую какую-то говорите.

— Да нет, Суриков, именно про эту. Потому что другая как раз была настоящая. Скажите-ка мне еще раз, кто такая Гольдич Зоя Николаевна и при каких обстоятельствах вы с ней познакомились.

— Не знакомился я с ней. Софья Илларионовна ее знала, это какая-то ее знакомая, она ей и доверила решить вопрос с обменом.

— А вы, значит, Зою Николаевну совсем не знали?

— Ну!

— И в глаза ее не видели?

— Не видел.

— Интересно. А вы мне тут как-то рассказывали, какая она из себя. И фигуру описывали, и прическу. Не помните?

— А, это... ну... мне Софья ее как-то показала. Я домой пришел с работы, на лестнице с женщиной столкнулся. Софья мне и сказала, что это была эта... как ее... ну, Зоя. Мол, только что ушла от нее, какие-то документы приносила подписывать.

— И все? Больше ее не видели?

— Нет.

— И не разговаривали с ней?

— Я ж сказал — нет.

— А голос как же? Вы ведь мне и голос ее описывали.

Суриков молчал. Больше всего Татьяна не любила таких вот ситуаций, когда приходилось иметь дело с людьми, попавшими по чужой воле в переплет и не обладающими достаточным интеллектом, чтобы выворачиваться. Суриков не очень умен и не особенно сообразителен, у него плохая память, и этим попытались воспользоваться сначала Бахметьева и ее внук,

234

а потом «приватизаторщики». Ей снова стало жалко Сергея. Но выбора нет, надо его дожимать.

— Ясно, Сергей Леонидович. Поскольку мы с вами уже договорились, что застревать на очевидных вещах не будем, сойдемся на том, что Зою Николаевну Гольдич вы никогда не видели, ничего о ней не слышали и кто она такая, не знаете. С этим все. Пойдем дальше.

Татьяна умышленно старалась поддерживать высокий темп допроса, понимая, что недалекий Суриков за ним не угонится, растеряется и начнет говорить глупости. Так его легче будет загнать в угол.

— Когда Бахметьева оформила доверенность на ваше имя?

— В начале ноября.

— То есть прямо перед вашей поездкой в Москву?

— Да.

— Где была доверенность?

— В каком смысле? Я не понял.

— Где вы ее хранили? В квартире Бахметьевой?

— Ну да. Не с собой же таскать. Обворуют еще по дороге.

— Разумно, — согласилась Татьяна. — Ее нашли при осмотре квартиры, когда Бахметьеву обнаружили убитой. И приобщили к уголовному делу. Куда она исчезла?

— А я почем знаю? Я в дело не заглядывал.

— Сергей Леонидович, все вы прекрасно знаете. Когда дело вел следователь Панкратов, доверенность на ваше имя была. А когда дело передали Чудаеву, она из материалов исчезла. Зато появилась доверенность на имя Гольдич. Что вам пообещали за эту авантюру?

— Не понимаю я, о чем вы говорите, — упрямо повторил Суриков. — Никакой авантюры не было. Сначала Софья дала доверенность этой... ну, Зое, а потом мне. На всякий случай. Она мне больше доверяла.

— Естественно. Она видела, как вы к ней относитесь, и точно знала, что ничего плохого вы никогда в жизни ей не сделаете. Она вами помыкала, Сергей Леонидович, она вас приручила и выдрессировала, как подобранную на помойке бездомную собаку. Вам неприятно это слышать? А мне неприятно это говорить. Не было никакой Гольдич и никакой доверенности на ее имя. Однажды во время допроса следователя Чудаева вызвали срочно к руководству, и он попросил кого-то из сотрудников милиции побыть с вами в кабинете, пока он отсутствует. Этот сотрудник вам популярно объяснил, что, пока в деле фигурирует доверенность на ваше имя, вас будут пытаться обвинить в убийстве Бахметьевой из корыстных побуждений. Из-за квартиры, одним словом. И поскольку никаких других подозреваемых у следствия нет, вам все равно не выкрутиться. Так все было?

\* \* \*

... — Я могу тебе помочь. Ты пойми, даже если тебя выпустят, квартиры старухиной тебе все равно не видать, как своих ушей. Ты был под следствием, сидел в камере. Твою доверенность аннулируют, тем более что хозяйка квартиры не сама померла, а убита. В таких случаях никакие доверенности не действуют. Закон такой.

Мужик в милицейских погонах говорил уверенно, и Суриков ему поверил. В самом деле, чего проще-то: втерся к бабке в доверие, выцыганил у нее доверенность на право распоряжения всем имуществом, а потом прикончил старушку — и гуляй, как король на именинах. Посадят, это точно. Не отмоешься.

— А как же теперь? — растерянно спросил Суриков, с надеждой глядя на мужика, который оказался первым человеком в милиции, кто отнесся к нему сочувственно.

— Есть выход. Доверенности на твое имя в деле не будет. А будет другая, на имя совсем другого человека. И оформлена она гораздо раньше. Есть люди, которые быстренько все документы сделают задним числом, будто хозяйка твоя переезжать решила, затеяла обмен. Понятно?

— Нет, — честно признался Сергей.

Ему и в самом деле было непонятно, он вообще в этих бумажно-юридических делах не разбирался. Мужик в погонах начал быстро что-то объяснять ему про договор мены, оценочную стоимость, нотариальное оформление, ордера, выписки... Слова были незнакомые, Суриков никак не мог уловить суть, но стыдился признаться в своей тупости и необразованности. Молча кивал с умным видом.

— Я понял, — сказал он. — А мне-то что делать?

— Подтверждать. Ты должен сказать следователю, что твоя хозяйка выдала доверенность не тебе, а Зое Николаевне Гольдич. Запомнил? Что хотела поменять квартиру, а поскольку сама она уже старая и немощная, выдала доверенность Гольдич, чтобы та все оформила. Еще в сентябре или октябре. Ты можешь даже точно не помнить, когда именно, ты к этому касательства не имел. Не твоя же квартира, верно?

— Верно, — согласился Суриков. Эта часть ему была понятна. — Но как же мы менялись, если жили по старому адресу?

— А ты скажи, что договор был заключен и все документы подписаны, но переезд по обоюдному согласию сторон был отложен до весны. Или до Нового года. Мало ли по каким причинам. Так хозяйка твоя решила. А ты и не спорил. Давай, парень, думай быстрее, сейчас следователь твой вернется и опять будет тебе дело шить. Я тебе хороший совет даю. Тебя, дурака, из петли вытаскиваю, а ты кочевряжишься. Чтобы ты не сомневался, я тебе скажу, что моя выгода тут тоже есть. Бескорыстных благодетелей сейчас не бывает, сам должен понимать. Мы все документы по обмену задним числом оформим, в квартиру твоей хозяйки люди въедут, квартира-то хорошая, в центре. А их квартиру продадим. И нам выгода, и тебе облегчение. Если ты старуху не убивал, то у них главного козыря против тебя не будет, помурыжат и выпустят. Ну а если все-таки ты это сделал, то по крайней мере корыстный мотив тебе не навесят. За убийство из корыстных побуждений тебе вышак ломится, статья сто вторая пункт «а». А без корыстного мотива получится другая статья, сто третья, там вышка по закону вообще не предусмотрена. Хоть жив останешься. Понял?

— Понял.

Чего ж тут не понять? Он не убивал Софью, и если не будет в деле этой чертовой доверенности, то его выпустят. Правильно мужик говорит.

— Согласен?

— Да, — кивнул Суриков. — Согласен. Только как же следователь-то? Он же знает, что доверенность есть, он про нее меня уже спрашивал.

— А это не твоя забота. Ты, когда он вернется, скажи, что плохо себя чувствуешь, сердце, мол, болит, не можешь больше допрос продолжать. Он тебя обратно в камеру отпустит. Больных нельзя допрашивать, закон не разрешает. А когда он тебя в следующий раз вызовет, все будет тип-топ. Усек? Ничего не напутаешь?

— Нет.

— Ну гляди, Суриков. И чтобы без глупостей. Рот не разевай и не болтай лишнего. А то сам знаешь, что с тобой сделают...

\* \* \*

Он решил не сдаваться. Предупредил же его тот мужик, чтобы не болтал. Убьют и не поморщатся.

— Не было ничего такого, — ответил он Образцовой, стараясь выглядеть как можно более честным. — Что вы там себе выдумали? Чушь какая-то, ей-богу.

— Сергей Леонидович, времени у нас с вами мало, поэтому давайте не тратить его так глупо.

— А чего? — Он пожал плечами. — Мне спешить некуда. Поговорим с вами еще, и я домой пойду. Сами же сказали, что отпустите.

— Куда — домой? Где ваш дом? В квартиру Бахметьевой вас никто не пустит. Пока вы упираетесь и врете, пока настаиваете на том, что обмен состоялся, эта квартира считается чужой. И жить там после окончания следствия по делу об убийстве хозяйки будут совсем другие люди. Вы же там не прописаны. К матери пойдете? Она вас давно уже не ждет, вы ей не нужны, и вы это прекрасно знаете. Опять на улицу? Не надоело?

Да, об этом он как-то не подумал. Ему так хотелось на свободу, что он совсем забыл о том, где ему эту свободу проводить. Сергей Суриков не умел думать о том, что будет. Не приучен. Всегда жил сегодняшним днем.

— Сейчас я вам объясню ситуацию, — продолжала Образцова. — Я сегодня работаю последний день, завтра меня здесь уже не будет. Если мы с вами не закончим сегодня, завтра дело примет другой следователь. И все начнется сначала. Вы этого хотите?

Он отрицательно помотал головой. Что она такое говорит? Почему дело может быть не закончено сегодня? Она же сама сказала, что в убийстве Софьи его больше не обвиняют и отпускают на волю.

— Раз не хотите, тогда давайте работать. Время идет. Я действительно сегодня вечером уезжаю и больше не вернусь сюда. Мы должны с вами договориться.

— О чем?

— О сделке. Вы боитесь выдать тех людей, которые занимаются аферами с жильем. Я вас понимаю. Я бы на вашем месте тоже боялась. Теперь смотрите, что получается. Вы твердо стоите на своем, аферу с подложной доверенностью не признаете и своих благодетелей не выдаете. Я выношу постановление об освобождении вас из-под стражи под подписку о невыезде. И одновременно привлекаю вас к уголовной ответственности за приготовление к убийству супругов Шкарбуль. Это означает, что вы должны будете находиться в Петербурге безотлучно и являться по вызовам следствия и суда. Проще говоря, никуда уехать вы не сможете. И будете тут маячить на глазах у этих «жилищников». Вот вас выпустили. Они к вам подходят и спрашивают: «Никому не сказал?» Вы отвечаете: «Нет, никому». Знаете, что происходит дальше?

— Нет. А что?

— А то, что они вам не верят. Кроме того, вы — свидетель их махинаций, и поэтому вы опасны. И вы исчезаете. И появляетесь спустя некоторое время в виде остывшего трупа. Никто ради вас колотиться не будет. Дома своего у вас нет, образ жизни вы ведете такой, при котором насильственная смерть — дело самое обычное. Да и сердце у вас больное. Так что вас убить — дело совсем не рискованное для них. Вам надо уехать, Сергей Леонидович. Как можно быстрее и как можно дальше. И сделать это можно только одним способом.

— Каким?

Он снова почувствовал, что теряет нить разговора. Все так сложно... Может, она тоже хочет его обдурить? Ну, ее-то бояться нечего, баба — она и есть баба. А вот те пострашнее будут. Нет, надо молчать.

— Я забуду про то, что Бахметьева хотела вашими руками убить вдову своего сына. Забуду, понимаете? Я буду помнить только о том, что она тосковала по внуку и вы решили поехать в Москву, найти его и поговорить с ним. Никто не виноват, что вы пришли в квартиру через несколько минут после убийства. Да, вы испугались и убежали, никому ничего не сказав. Это простительно. За это в Уголовном кодексе статьи нет. Я вас вытащу из этой истории. Я не буду привлекать вас за приготовление к убийству и выпущу отсюда без всякой подписки. Вы сегодня же сможете сесть в поезд и уехать куда глаза глядят. Но за это вы мне скажете, кто тот сотрудник, который вас уговорил. Повторяю еще раз: или вы молчите и остаетесь в городе, каждую минуту рискуя быть убитым, или вы все мне рассказываете и получаете возможность уехать. Выбирайте, Сергей Леонидович.

Суриков молчал. Ему было очень страшно. Была бы рядом Софья, она бы посоветовала, что делать. Она умная, она быстро разобралась бы, что тут к чему. А он не может. Не тянет он.

— Ну хорошо, — вздохнула следователь, — придется мне сказать вам еще одну вещь. Раз вы не понимаете слов, придется оперировать фактами. Вы помните своего первого следователя, Романа Сергеевича Панкратова?

— Помню.

— Тогда читайте.

Она протянула ему газету и ткнула пальцем в большую фотографию, обведенную траурной рамкой. «Тяжелая утрата... Трагически погиб... Товарищи и коллеги...» Господи, что же это?

— Панкратов знал, какие материалы были в деле с самого начала и какие вы давали показания. Этого оказалось достаточным, чтобы его насмерть сбила машина. А ведь вы знаете больше, Суриков. Вы знаете, кто из наших сотрудников к этому причастен. И либо вы мне скажете, кто это был, либо вас ждет такая же судьба. Ну как? Скажете?

Все. Он больше не может сопротивляться ее напору. Скажет — могут убить. И не скажет — тоже могут. Выбирать не из чего. Но если она и вправду даст ему возможность слинять из Питера, то можно еще спастись.

— Я не знаю, как его зовут.

— Опишите внешность как можно подробнее. Рост, фигура, волосы, лицо, манера держаться и говорить, манера сидеть. Все, что помните.

\* \* \*

Татьяна быстро поняла, о ком идет речь. Несмотря на интеллектуальную неразвитость, глаз у Сурикова был острым и наблюдательным. Описание его было точным и красочным.

Какая же гадость ее работа! Вранье, сплошное вранье, подтасовки, прижимание в угол растерянных, испуганных людей. Кто сказал, что работа следователя — благородная? Чушь это. Так может сказать только тот, кто никогда в жизни на следствии не работал.

Имеет ли она право делать то, что делает? Она собирается скрыть от следствия некоторые факты и обстоятельства, свидетельствующие о том, что Сергей Суриков собирался совершить убийство. На этот счет, между прочим, статья в Уголовном кодексе имеется, в разделе «Должностные преступления». Но что же ей делать, если нет закона о защите свидетелей? Отдавать Сурикова на растерзание этой банде? Сейчас только начнется их оперативная разработка, а длиться она может несколько месяцев, пока их выявят, да пока факты соберут, доказательства. Долгая песня. И все это время Суриков будет для них доступен. Имеет ли она право приносить несчастного парня в жертву интересам правосудия?

Нет ответа. В учебниках он есть. А в жизни — нет.

— Все, Сергей Леонидович. Прочтите постановление о вашем освобождении из-под стражи и распишитесь. Вас проводят в камеру, соберете свои вещи и можете быть свободны.

Суриков подписал, не читая. Татьяна нажала кнопку, вызывая конвой. У самой двери Сергей внезапно остановился.

— Где Софью похоронили?

— Хотите к ней пойти?

— Хочу. Я вам не верю. Она не могла. Это все внук ее... Она не могла так со мной поступить.

Татьяна с тоской смотрела на закрывающуюся за ним дверь. Любовь слепа. Даже если это любовь не мужская, а сыновняя.

\* \* \*

Она быстро печатала на машинке полный текст постановления об освобождении Сурикова от уголовной ответственности. Дело должно быть в идеальном порядке, чтобы следователь, который будет работать с ним дальше, не помянул ее недобрым словом. Материалы об убийстве Бахметьевой будут присоединены к делу об убийстве супругов Шкарбуль. И в этих материалах не должно быть ничего, что позволило бы обвинить Сурикова хоть в чем-то, кроме обыкновенной трусости.

Татьяна то и дело поглядывала на часы. С минуты на минуту должна подъехать Ира, привезти пакет из аэропорта. Все, что вчера в нарушение всех правил было изъято из дела и отправлено в Москву, будет возвращено на место. И после этого можно идти к Исакову за своим личным делом, которое со вчерашнего дня лежит в его сейфе.

Уехать. Скорее уехать отсюда. Сложить вещи, забрать Ирку и уносить ноги, сделав вид, что никогда и слышать не слышала про преступную группу, в которую входили сотрудники органов внутренних дел и которая совершала преступления, связанные с приватизацией квартир. Уехать — и пропади все пропадом.

\* \* \*

Они купили четыре билета, чтобы ехать в купе без попутчиков. Проводник, молодой веселый парень с несколько дебильным выражением лица, сразу предупредил:

— Девушки, на ночь запирайтесь как следует, а лучше спите по очереди. У нас в поездах грабят.

— Спасибо, порадовали, — фыркнула Ира, которая еще сохранила способность шутить. Вероятно, потому, что не знала, от какой опасности они бегут.

Несмотря на сжатые сроки, домовитая Ирочка сумела упаковать неимоверное количество вещей, умело разложив их по большим дорожным сумкам. Более того, она даже успела напечь своих знаменитых пирожков с капустой, которые и извлекла на свет божий, как только проводник принес чай.

— Ирка, опять! — простонала Татьяна. — Я же тебя просила!

— Ну в дорогу-то! — возмутилась Ира. — Святое дело. Не хочешь — не ешь. Пусть Настя поест. И Стасову привезем, он их тоже любит.

Татьяна, конечно, не выдержала и два пирожка все-таки съела.

Они уже улеглись и погасили свет, но уснуть удалось только Ире.

— Настя, — шепотом позвала Татьяна, — не спишь?

— Нет.

— Знаешь, у меня Бахметьева все из головы не идет. Какой же невероятной силы была старуха, если внуку пришлось ее убить. Ты можешь себе представить? Я все понять не могла, зачем он ее убил. Взял драгоценности из родительского сейфа — и живи в полное свое удовольствие. Мало ли о чем он со своей бабушкой договорился. Бабушка старенькая уже, да и далеко она, за шестьсот километров. Можно с ней не делиться, она и не пикнет. Зачем он ее убил? А сегодня во время разговора с Суриковым я поняла, почему он это сделал. Внук знал, что не сможет ей противостоять. Знал, что не посмеет ослушаться. Чувствовал, что она сильнее. Она и его сумела поработить. В точности как несчастного Сурикова. Только Суриков ее преданно любил и хотел жить под ее властью как можно дольше. А Виталий хотел из-под этой власти вырваться и распоряжаться ценностями единолично.

Она помолчала, потом добавила:

— А Суриков так и не понял ничего. Не поверил, что Бахметьева могла так с ним поступить. Как собака, которую хозяин бьет, а она ему руки лижет. Господи, когда он уходил, я чуть не расплакалась.

— Интересно, что Виталий будет нам рассказывать. Он же точно знает, что Суриков ехал в Москву не разговоры с ним душевные разговаривать про любимую бабушку, а убийство совершить. Не подставит он Сурикова, как ты думаешь?

— Может, сучонок корыстолюбивый. Я, конечно, сделала все, что могла. Остальное от вас зависит, от тебя в том числе. Доказательств того, что Суриков готовился к убийству, нет. Показания Виталия можно подвергать сомнению. Бахметьева их не подтвердит, а больше никто ничего не знает.

Снова в темном купе воцарилось молчание. Потом раздался Настин шепот:

— Знаешь, о чем я подумала? Эта старуха и нас с тобой поработила. Ее уже на свете нет, а мы с тобой лежим и обсуждаем, как нам материалы уголовного дела подтасовать. Дела, которое она же и придумала. А мы теперь головы ломаем, как нам спасти человека, которого она пыталась погубить. Ведь мы с тобой идем на должностные нарушения. Понимаем это, а все равно делаем. Она больше месяца в могиле лежит, а мы под ее дудку пляшем.

— Скорее не «под», а вопреки. Но все равно пляшем, тут ты права.

На верхней полке заворочалась Ирочка.

— Девочки, ну имейте же совесть, — жалобно промычала она.

— Все-все, молчим, — торопливо сказала Настя. — Извини.

* * *

Он снова видел этот жуткий сон. Огромные лужи крови, не лужи даже, а целые моря, и кровь бурлит и принимает причудливые формы, превращаясь в лица матери, отчима и бабки. С этих лиц на него смотрят мертвые глаза, мертвые рты раскрыты, а мертвые языки пытаются шевелиться, чтобы сказать ему...

Что сказать? Что они могут ему сказать? Спросить, зачем он это сделал?

Затем, что ему надоело. Ему все надоело. Надоело слушать нудные разговоры о том, что всего в жизни нужно добиваться собственными усилиями, своим трудом. Что благосостояние нужно заработать самому. Что стыдно равняться на тех, кто шикует на родительские деньги.

Детский сад какой-то. Стыдно, стыдно... Ничего не стыдно. Все так живут. Все его друзья ездят на иномарках и живут в классных хатах, отделанных по евростандарту. Отдельно, между прочим, живут, без всяких там родителей. Один он, как дурак, живет по-совковому. Хватит. Надоело. Бабка — та его понимала. Не то что мать с отчимом.

Бабка правильная была. Год назад объявилась. Позвонила и сказала, чтоб на почту сходил, взял письмо «до востребования». Больше ничего объяснять не стала, даже не представилась. Он и не знал, кто это звонил, сходил, взял письмо. В письме все было. И про расстрелянного отца-валютчика, и про золото-бриллианты. И про бабушку, отцову мать, которая в Питере живет на одну пенсию и страдает от общей несправедливости жизни. В письме и номер телефона был указан, дескать, ежели захочешь с бабушкой-то родной поговорить, звони, не стесняйся, но только днем и в будни, а то в другое время в квартире уши посторонние. Поговорить он, конечно, захотел, особенно про деньги. Ну и поговорил. Потом съездил в Питер, лично со старушкой познакомился.

Ну и пошло с тех пор. У него в голове одна мысль: как ценностями завладеть. Бабка долго его расспрашивала, как они там, в Москве, живут, какая квартира, какая машина, какая мебель, какие украшения на матери, куда в отпуск ездят. Прикидывала что-то, в уме считала, а потом и выдала, мол, из тех денег, что папаша его заныкал, только, может, десятая часть за все годы потрачена. А остальное где-то у матери с отчимом лежит. Ты, говорит, внучек, ни о чем не беспокойся пока, живи, как жил, овцой прикидывайся, родителей слушайся, а я уж придумаю, что нам с тобой дальше-то делать. И придумала. Да так, что Виталий только диву давался.

Да, сильна была старуха, что и говорить. Только делиться с ней Виталию не хотелось. Целое — оно все-таки в два раза больше половины, это уж как ни крути. Боялся он бабку смертельно. Знал, что не посмеет не отдать ее долю, если она потребует. Он ей вообще слово поперек сказать не смел, такую власть она над ним забрала.

Рабам, как показывает история, не приходит в голову устраивать забастовки и демонстрировать неповиновение. Они поднимают бунт и убивают хозяев. Наверное, именно этим отличается рабская психология от психологии свободного человека...

Он снова мучился в своем кошмарном сне и проснулся весь в поту. Часы показывали половину седьмого утра. Нет смысла пытаться уснуть снова, все равно через полчаса зазвенит будильник и придется вставать, готовить себе завтрак и тащиться на ненавистную, давно опостылевшую работу. Ничего, он еще помучается несколько месяцев, а потом рванет когти в свободную богатую жизнь.

Виталий уже вышел из душа и жарил на кухне яичницу, когда раздался звонок в дверь. Кого принесло в такую рань?

— Кто там? — осторожно спросил он.

— Шкарбуль Виталий Юрьевич? Откройте, пожалуйста, милиция.

Опять небось вопросы задавать будут. Все никак преступника не найдут, который мать с отчимом грохнул. Ну пусть ищут, это их обязанность.

Он щелкнул замком, открыл дверь и сразу понял, что на этот раз вопросов задавать ему не будут.

* * *

Миновали новогодние праздники и Рождество, все приказы были подписаны, и майор Образцова приступила к работе в следственном комитете в Москве. В конце января кто-то из новых коллег остановил ее в коридоре.

— Татьяна Григорьевна, вы ведь раньше в Петербурге работали?

— Да.

— Новость знаете? У вас там против группы сотрудников дело возбудили. Там, оказывается, целая организация была с участием работников милиции и судмедэкспертов. Втирались в доверие к одиноким старикам, убивали их, эксперты давали заключение о естественной смерти, а соучастники из нотариата делали генеральные доверенности с поддельными подписями владельцев квартир. Лихо, да?

— Да, — согласилась Татьяна, — лихо.

Действительно, лихо. Не зря слушок был, что эту банду никому не поймать. Как тут поймаешь, когда свои же милиционеры прикрывают. И не вскрылось бы, если бы жадность не одолела, если бы не позарились на легкую добычу. Был бы Суриков похитрее, не путался в показаниях — и все сошло бы гладко.

От такой банды ноги не унесешь. И Суриков не уберегся бы, если бы она оставила его в Питере. Так что же все-таки важнее, интересы правосудия и справедливости или человеческая жизнь?

Нет ответа...

*Декабрь 1996 г.*

Литературно-художественное издание

**Маринина Александра Борисовна**

**ИМЯ ПОТЕРПЕВШЕГО — НИКТО**

*Издано в авторской редакции*
Ответственный редактор *И. Сопиков*
Художественный редактор *Д. Сазонов*
Технический редактор *Н. Носова*
Компьютерная верстка *Л. Косарева*
Корректор *Л. Фильцер*

ООО «Издательство «Эксмо»
127299, Москва, ул. Клары Цеткин, д. 18, корп. 5. Тел.: 411-68-86, 956-39-21.
**Home page: www.eksmo.ru   E-mail: info@ eksmo.ru**

*По вопросам размещения рекламы в книгах издательства «Эксмо»
обращаться в рекламный отдел. Тел. 411-68-74.*

*Оптовая торговля книгами «Эксмо» и товарами «Эксмо-канц»:*
ООО «ТД «Эксмо». 142700, Московская обл., Ленинский р-н, г. Видное,
Белокаменное ш., д.1. Тел./факс: (095) 378-84-74, 378-82-61, 745-89-16.
Многоканальный тел. 411-50-74. E-mail: reception@eksmo-sale.ru

*Мелкооптовая торговля книгами «Эксмо» и товарами «Эксмо-канц»:*
117192, Москва, Мичуринский пр-т, д. 12/1. Тел./факс: (095) 932-74-71.
127254, Москва, ул. Добролюбова, д. 2. Тел.: (095) 745-89-15, 780-58-34.
**www.eksmo-kanc.ru  e-mail: kanc@eksmo-sale.ru**

*Полный ассортимент продукции издательства «Эксмо» в Москве
в сети магазинов «Новый книжный»:*
Центральный магазин — Москва, Сухаревская пл., 12
(м. «Сухаревская»,ТЦ «Садовая галерея»). Тел. 937-85-81.
Информация о других магазинах «Новый книжный» по тел. 780-58-81.

*В Санкт-Петербурге в сети магазинов «Буквоед»:*
«Книжный супермаркет» на Загородном, д. 35. Тел. (812) 312-67-34
и «Магазин на Невском», д. 13. Тел. (812) 310-22-44.

*Полный ассортимент книг издательства «Эксмо»:*
В Санкт-Петербурге: ООО СЗКО, пр-т Обуховской Обороны, д. 84Е.
Тел. отдела реализации (812) 265-44-80/81/82/83.
В Нижнем Новгороде: ООО ТД «Эксмо НН», ул. Маршала Воронова, д. 3.
Тел. (8312) 72-36-70.
В Казани: ООО «НКП Казань», ул. Фрезерная, д. 5. Тел. (8432) 70-40-45/46.
В Киеве: ООО ДЦ «Эксмо-Украина», ул. Луговая, д. 9.
Тел. (044) 531-42-54, факс 419-97-49; e-mail: sale@eksmo.com.ua

Подписано в печать с готовых монтажей 29.06.2005
Формат 84x108 $^{1}/_{32}$. Гарнитура «Таймс».
Печать офсетная. Усл. печ. л. 13,44.
Доп. тираж 3 000 экз. Заказ № 8741.

Отпечатано в полном соответствии с качеством
предоставленных диапозитивов в ОАО "Тульская типография".
300600, г. Тула, пр. Ленина,109 .